VIVENDO *com* INTEGRIDADE

Um estudo do Salmo 15

HERMISTEN MAIA

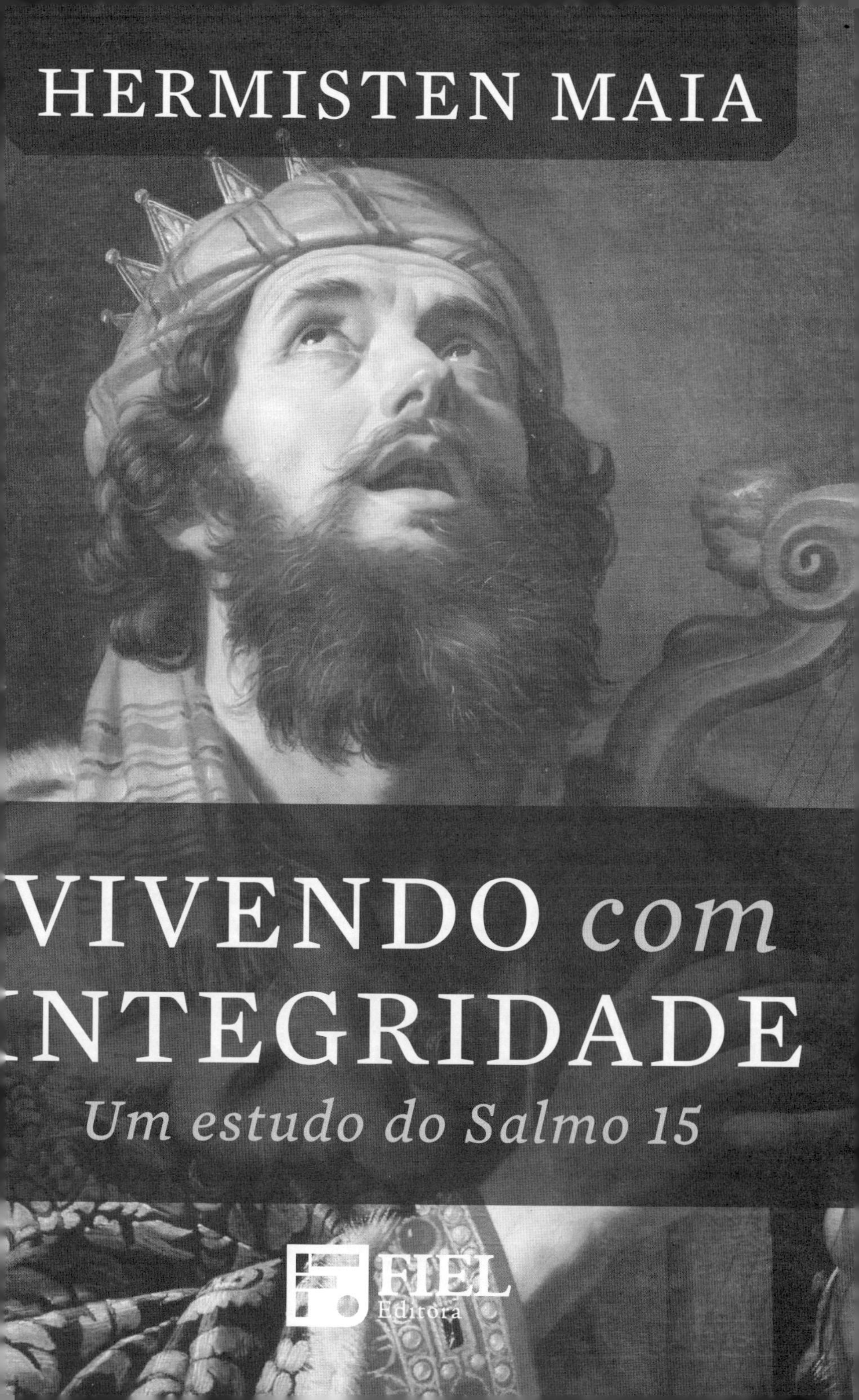

VIVENDO *com* INTEGRIDADE

Um estudo do Salmo 15

FIEL
Editora

C837v Costa, Hermisten Maia Pereira da, 1956-
Vivendo com integridade : um estudo do salmo 15 / Hermisten Maia. – São José dos Campos, SP : Fiel, c2016.

167 p.
Inclui referências bibliográficas.
ISBN 9788581323435

1. Integridade – Aspectos religiosos – Cristianismo. 2.Vida cristã. 2. I. Título.

CDD: 241.699

Catalogação na publicação: Mariana C. de Melo Pedrosa – CRB07/6477

Vivendo com integridade:
Um estudo do Salmo 15
por Hermisten Maia

■

Primeira Edição em Português: 2016
Primeira Reimpressão: 2016

■

Diretor: James Richard Denham III
Editor: Tiago J. Santos Filho
Revisão: Paulo César Valle
Diagramação: Rubner Durais
Capa: Rubner Durais

ISBN: 978-85-8132-343-5

FIEL Editora

Caixa Postal 1601
CEP: 12230-971
São José dos Campos, SP
PABX: (12) 3919-9999
www.editorafiel.com.br

SUMÁRIO

INTRODUÇÃO

"Que eu sempre habite na casa do Senhor": condições divinas para uma habitação perene (Sl 15.1-5)

Quando mudei para Maringá, sempre que recebia em casa algum parente ou amigo de outra região, o levava para conhecer a cidade. Além do *Parque do Ingá*, *Catedral Metropolitana* e *Bosque das Grevíleas*, passava sempre no condomínio residencial *Parque dos Príncipes* para mostrar um pouco das lindas casas que ali foram construídas. Em geral, os visitantes, contagiados por mim, ficavam entusiasmados.

Certamente quem mora dentro daquele e de outros condomínios de padrão semelhante deve ter, além de inúmeros privilégios que tornam a vida mais confortável, também exigências e restrições, tais como: o tipo e tamanho de construção - podem-se fazer muros internos? -, água (como ratear o consumo de água das piscinas residenciais?), horários para as festas, taxas elevadas, alguns rigores na segurança.

Nunca pensei seriamente em morar ali porque foge totalmente ao meu padrão de vida. Diria que é uma habitação impossível para mim.

O fato é que o lugar onde moramos pressupõe alguns aspectos de nossa vida econômica e social, e, até mesmo, de nossa personalidade. Quando podemos projetar a nossa casa, talvez sem perceber, refletimos ali a nossa forma de ser, necessidades e prioridades (as quais mudam, por exemplo, com o crescimento e casamento dos filhos e netos); o nosso jeito de ver a vida e alguns de nossos valores.

No *Salmo 14*, temos a descrição do homem insensato que nega a existência de Deus, entregando-se totalmente à dissolução ética e espiritual. Este comportamento é contrastado com a atitude do salmista que aguarda a execução do juízo de Deus quando haverá alegria definitiva entre o povo de Deus (Sl 14.7). No *Salmo 15*, fazendo eco e cumprindo aspectos da esperança do Salmo 14, nos deparamos com um homem que, salvo pela graça, não a barateia, antes, deseja viver dignamente conforme os preceitos de Deus. Temos aqui um contraste em relação ao homem descrito no salmo anterior, mostrando a ética do cidadão do Reino. Se o ateísmo é uma cosmovisão, a fé no Deus transcendente e pessoal que se revela e se relaciona conosco tem também a sua cosmovisão. Neste salmo, temos alguns aspectos desta forma de ver e agir no mundo de Deus, do Deus que vive e governa todas as coisas.

O salmista faz uma pergunta e, antes mesmo que possamos tentar esboçar uma resposta, ele apresenta uma série de requisitos. Aliás, deve ser dito que a pergunta não se dirige a nós, mas a Deus. A resposta mais completa já fora dada pelo Senhor na sua Lei.[1] Portanto, a resposta aqui apresentada em forma de preceitos positivos e negativos é um modo didático de destacar aspectos da Lei, a fim de serem atualizados em nossas mentes e corações.[2]

Inclino-me a pensar que este Salmo, mais do que algo apenas litúrgico[3] ou um preparativo para entrar no Santuário,[4] descreve um solilóquio, tendo como pano de fundo a Lei de Deus, no qual o salmista alegre e ao mesmo tempo compenetrado, indaga a respeito desta habitação, ou seja, desta comunhão com Deus e, à luz da própria Lei de Deus, apresenta a resposta.

Os princípios éticos aqui descritos positiva e negativamente – longe de serem completos ou meritórios -, são atinentes àqueles que já foram regenerados, integrando à família da fé.[5] Portanto, aqui não se está tratando da doutrina da justificação.[6] Neste Salmo temos uma descrição de nossa impossibilidade de cumprir as exigências divinas e, ao mesmo tempo, de nossa responsabilidade como filhos da aliança. Por isso, as instruções ao invés de serem apenas ritualísticas, demandam um exame de consciência.[7]

O padrão bíblico relaciona de modo claro e objetivo a nossa comunhão com Deus com a nossa forma de ser e as nossas atitudes em todas as esferas da sociedade. O culto a Deus não é um ato isolado de nossa vida e comportamento, antes, é uma expressão de nossa fé que, fundamentada na Palavra, direciona o nosso crer e viver. O culto a Deus tem como ingrediente fundamental a obediência aos preceitos do Senhor, aquele que nos recebe em sua casa.

De modo nostálgico, Davi usa a figura da tenda, símbolo da presença de Deus.[8] O adorador que poderá *"habitar"* (גּוּר) (gur) e *"morar"* (שָׁכַן) (shakan) é considerado como um peregrino (Hb 11.9)[9] e estrangeiro que, dependendo da hospitalidade alheia se *hospeda* (גּוּר) (gur)[10] no tabernáculo (אֹהֶל) (ʽohel) (tenda)[11] - que por sinal era provisório[12] - e, de forma paralelística e relativamente progressiva, agora *assiste, habita* (שָׁכַן) (shakan) definitivamente com Deus no seu santo monte; é um cidadão (Sl 16.9; 65.5; 68.17); tem, portanto, perfeita comunhão com o Senhor.[13] Ele sabe que vale mais um dia na presença de Deus, estar na entrada da casa de Deus, do que permanecer na tenda (tabernáculo) da maldade: "Pois um dia nos teus átrios vale mais que mil; prefiro estar à porta da casa do meu Deus, a permanecer nas tendas (אֹהֶל) (ʽohel) da perversidade (רֶשַׁע) (resha`) (maldade, impiedade, iniquidade)" (Sl 84.10).

Como Deus é o Senhor da terra, faz todo o sentido que ele estabeleça os princípios para o nosso pertencimento: "Também a terra não se venderá em perpetuidade, porque a terra é minha; pois vós sois para mim estrangeiros e peregrinos" (Lv 25.23).

O lugar da habitação é mencionado como "teu tabernáculo" e "santo monte" (Sl 15.1).[14] O tabernáculo ou tenda, antes da construção do templo, era o símbolo da aliança e da presença de Deus. O santo monte se refere ao monte Sião, onde o templo estaria, posteriormente, localizado em Jerusalém. Deus é santo, o monte de sua habitação é santo. Moisés foi instruído quanto a isso enquanto o próprio Senhor se manifestava a ele:

> Apascentava Moisés o rebanho de Jetro, seu sogro, sacerdote de Midiã; e, levando o rebanho para o lado ocidental do deserto, chegou ao monte de Deus, a Horebe. [2] Apareceu-lhe o Anjo do SENHOR numa chama de fogo, no meio de uma sarça; Moisés olhou, e eis que a sarça ardia no fogo e a sarça não se consumia. [3] Então, disse consigo mesmo: Irei para lá e verei essa grande maravilha; por que a sarça não se queima? [4] Vendo o SENHOR que ele se voltava para ver, Deus, do meio da sarça, o chamou e disse: Moisés! Moisés! Ele respondeu: Eis-me aqui! [5] Deus continuou: Não te chegues para cá; tira as sandálias dos pés, porque o lugar em que estás é terra santa (Ex 3.1-5/ Ex 19.16-22).

Portanto, "o salmo descreve o desafio moral que a presença de Deus em seu meio trazia aos habitantes de Jerusalém".[15]

Não basta crer em Deus. A nossa fé tem implicações existenciais inevitáveis. Devemos, portanto, viver como filhos da aliança, que habitam na casa de Deus, pois ele não tem filhos nominais de uma aliança virtual, antes, ele transforma pecadores em filhos reais e nos concede princípios concretos a fim de que vivamos à luz deste gracioso privilégio.

Como interessados nesta habitação perene com o Senhor, vejamos as condições pactuais nos capítulos a seguir. Dividi este livro em partes e capítulos breves, com vários subtemas, seguindo um esquema de estudo bíblico.

Que Deus abençoe e enriqueça sua leitura.

PARTE I

UMA CHAMADA À INTEGRIDADE

"*O que vive com integridade* (תָּמִים) (tamiym)...."

A grande condição que vai reger todas as outras está relacionada ao ser. Ela é dita logo no início do segundo verso: *viver com integridade*. Aqui não se propõe nenhum tipo de máscara ou comportamento *politicamente correto* para agradar o Senhor, antes, trata de um comportamento coerente com a nossa nova natureza. Daí o sentido de integridade. A integridade deve ser entendida sempre perante Deus. Em última instância, somente Deus pode julgar definitivamente a nossa integridade. Somente Deus pode julgar de forma perfeita e completa. A nossa consciência que, como em tantas outras coisas, também é relevante aqui, não tem, contudo, a palavra final. O juízo pertence a Deus, aquele que é absolutamente íntegro, nos criou e nos conhece perfeitamente (1Co 4.3-5).[1]

A ideia da palavra traduzida por *integridade* é de *perfeição* (Sl 18.30), *aperfeiçoar* (Sl 18.32), *retidão* (Sl 101.6), *irrepreensível* (Sl 119.1,80), *inculpável* (2Sm 22.24). Ela também se refere aos animais que não tinham defeito[2] (Nm 29.20).[3]

Deste modo, o salmista nos diz que os habitantes do santo monte devem viver contínua e habitualmente com integridade, maturidade, completude, completo em todas as partes e inteireza em relação à verdade, sinceridade devota em relação à Lei de Deus.[4] A palavra "designa o padrão divino para as realizações humanas".[5]

Vejamos a seguir alguns exemplos de homens íntegros nas Escrituras.

I

INTEGRIDADE: A VONTADE DE DEUS

Mesmo em meio a incompreensões e frustrações, Deus deseja a integridade, a totalidade de nosso coração naquilo que fazemos. Os nossos atos devem ser um reflexo daquilo que somos no Senhor.[1] Deus, instruindo o povo de Israel quanto às ameaças e tentações vindouras na terra para aonde iriam, exige de Israel integridade: "Perfeito (תָּמִים) (tamiym) serás para com o SENHOR, teu Deus" (Dt 18.13).

O desafio de Josué quando se despede do povo de Israel é no sentido de que, renovando a aliança, servisse a Deus com integridade e fidelidade: "Agora, pois, temei ao SENHOR e servi-o com integridade (תָּמִים) (tamiym) e com fidelidade;

deitai fora os deuses aos quais serviram vossos pais dalém do Eufrates e no Egito e servi ao SENHOR" (Js 24.14).

O caminho para sermos íntegros - inteiros e não fragmentados - é buscar a instrução na Palavra perfeita do Senhor. Devemos buscar o caminho da perfeição. Davi relata o seu sincero projeto de reinado: obediência a Deus. Em outras palavras, seguir com discernimento e integridade o perfeito caminho do Senhor: "Atentarei sabiamente (שָׂכַל) (sakal)2 ao caminho da perfeição (תָּמִים) (tamiym). Oh! Quando virás ter comigo? Portas a dentro, em minha casa, terei coração sincero (תֹּם)(tom)3" (Sl 101.2).

A vida cristã envolve necessária e essencialmente integridade. Integridade significa busca da verdade, compreensão e vida. Nenhum de nós é absolutamente íntegro. Contudo, é impossível ser cristão sem esta busca de todo coração.[4]

Cabe aqui uma observação. Podemos ser íntegros para com aquilo que não tem integridade. Em outras palavras, podemos ser totalmente sinceros em relação ao erro por não percebermos o nosso equívoco. Ainda que seja altamente recomendável a nossa integridade, quando ela está depositada em algo de consistência frágil, movediça e enganosa, traz grande frustração. Pense no ardor do jovem Saulo em perseguir a Igreja de Deus, pensando justamente estar prestando um serviço que glorificasse a este mesmo Deus. Quanta dor e sofrimento ele causou a inúmeros cristãos sinceros e a ele mesmo quando, por graça, descobriu o seu equívoco e, convertido ao Senhor, passa a pregar com fidelidade e inteireza de coração a Palavra, ensinando ser Jesus o Cristo e Senhor (At 9; 22; 26; 1Co 15.9).

Deste modo, o mesmo Deus que exige de nós integridade se revela de forma coerente e verdadeira, conforme a sua natureza, concedendo-nos a sua Palavra para que a conhecendo conheçamos o seu autor.

Por isso, as Escrituras também nos chamam a atenção para aspectos evidentes da integridade de Deus em sua natureza e manifestação.

O CAMINHO DE DEUS É ÍNTEGRO

"O caminho de Deus é perfeito (תָּמִים) (tamiym); a palavra do SENHOR é provada; ele é escudo para todos os que nele se refugiam" (Sl 18.30). Não há contradição em Deus nem na sua forma de dirigir a história. A perfeição permeia toda a sua obra como expressão daquilo que ele é em si mesmo.

A LEI DO SENHOR É ÍNTEGRA

"A lei do SENHOR é perfeita (תָּמִים) (tamiym) e restaura a alma; o testemunho do SENHOR é fiel e dá sabedoria aos símplices" (Sl 19.7). A Lei do Senhor é perfeita, completa, abarca todas as nossas necessidades físicas e espirituais. Ela tem princípios que, sendo seguidos, instruem, previnem e corrigem os nossos caminhos.

NA INTEGRIDADE DA PALAVRA, NÃO HÁ MOTIVO DE VERGONHA

Quando assimilamos de coração a Palavra de Deus e a adotamos com integridade, independentemente das consequências e dos juízos dos outros, não teremos do que nos envergonhar.

Assim como o insensato alimenta em seu coração a afirmação de que não há Deus,[5] o salmista deseja profundamente algo oposto. Ele diz: "Seja o meu coração (לֵב)(leb) irrepreensível (תָּמִים) (tamiym) nos teus decretos, para que eu não seja envergonhado" (Sl 119.80).

Na integridade da Palavra não há contradição, antes, temos o absoluto de Deus para todas as nossas circunstâncias. Por isso, quem segue a Palavra de Deus, buscando praticá-la com integridade de coração, será irrepreensível em seu caminho; em todas as circunstâncias. Este será bem-aventurado:

> Bem-aventurados os irrepreensíveis (תָּמִים) (tamiym) no seu caminho, que andam (הָלַךְ) (halak) na lei do SENHOR 2Bem-aventurados os que guardam as suas prescrições e o buscam (דרשׁ) (darash)6 de todo o coração (לֵב) (leb); não praticam iniquidade e andam (הָלַךְ) (halak) nos seus caminhos (Sl 119.1-3).

> ....Bem-aventurado aquele que teme ao SENHOR e anda (הָלַךְ) (halak) nos seus caminhos! (Sl 128.1).

Deus abençoa os que preservam em seu coração a integridade de sua Palavra

> Porque o SENHOR Deus é sol e escudo; o SENHOR dá graça e glória; nenhum bem sonega aos que andam retamente (תָּמִים) (tamiym) (Sl 84.11).

Deus se alegra em que vivamos com integridade. Adotar o caminho de Deus é sempre um testemunho de confiança em Deus e nas suas promessas, certos de sua soberania, bondade, amor e justiça: "Abomináveis para o SENHOR são os perversos de coração, mas os que andam em integridade (תָּמִים) (tamiym) são o seu prazer (רָצוֹן)(ratson)" (Pv 11.20).[7] Deus se alegra em nossa obediência, em que atentemos para a sua vontade. A santa satisfação de Deus redunda em bênçãos. Deus tem prazer em manifestar benevolência para com o Seu povo: "Pois tu, SENHOR, abençoas o justo e, como escudo, o cercas da tua benevolência (רָצוֹן)(ratson)" (Sl 5.12).[8]

Obedecer é mais relevante do que o celebrar ritualisticamente. O culto se manifesta em obediência aos preceitos de Deus. O reformador francês João Calvino, de forma bíblica, declara: "Ninguém é verdadeiro adorador de Deus senão aqueles que reverentemente obedecem a sua Palavra".[9]

A felicidade está no apego integral à Palavra de Deus: "Bem-aventurados os irrepreensíveis (תָּמִים) (tamiym) no seu caminho, que andam (הָלַךְ) (halak) na lei do SENHOR" (Sl 119.1). A integridade do ser está diretamente relacionada ao fazer e ao falar. "Elas são pessoas de integridade de caráter tão completa que fazem o que é certo e também falam a verdade".[10]

Como somos limitados, falhos, inclinados ao mal, devemos suplicar a Deus que nos dê discernimento quanto ao caminho que devemos seguir. Esta era a súplica do salmista: "Faze-me ouvir, pela manhã, da tua graça, pois em ti confio; mostra-me o caminho por onde devo andar (יָלַךְ) (yalak), porque a ti elevo a minha alma" (Sl 143.8).

Vejamos a seguir alguns exemplos na Bíblia de homens que foram considerados íntegros aos olhos de Deus.

HOMENS ÍNTEGROS DA BÍBLIA

Na Escritura não há lugar para o conceito de perfeccionismo espiritual do ser humano neste estado de existência. Deus se vale graciosamente de seus servos, contudo, não os diviniza.

A Escritura nos fala da perfeição de Deus, do seu propósito para nós e da afirmação circunstancial[11] de servos de Deus que se declaram ou são declarados íntegros em relação às acusações feitas. Estão totalmente inocentes quanto àquelas questões. Contudo, eram pecadores e as Escrituras não escondem isso. Eles, como nós, lutam contra o pecado, por vezes caem, são disciplinados e restaurados à comunhão de Deus.

Esta constatação, longe de nos estimular à letargia espiritual, à acomodação no pecado, deve motivar-nos à busca de uma integridade interior.

Noé

Noé é descrito como um homem que tinha esta característica essencial: "*Eis a história de Noé. Noé era homem justo e* **íntegro** (תָּמִים) (tamiym) *entre os seus contemporâneos; Noé andava* (הָלַךְ) (halak) *com Deus*" (Gn 6.9). O texto diz que Noé andava com Deus! Tinha profunda comunhão com o Senhor. A integridade se revela em nosso caminhar (Sl 26.1-3,11),[12] a quem seguimos, quais conselhos são por nós adotados. O ímpio, diferentemente, anda conforme o conselho de seus pares (Sl 1.1)[13] e trazem convites e estímulos perniciosos:

> *Filho meu, se os pecadores querem seduzir-te, não o consintas. Se disserem:* *<u>Vem</u>* (יָלַךְ) (yalak) *conosco, embosquemo-nos para derramar sangue, espreitemos, ainda que sem motivo, os inocentes; (...) Filho meu, não te ponhas a* *<u>caminho</u>* (הָלַךְ) (halak) *com eles; guarda das suas veredas os pés; porque os seus pés correm para o mal e se apressam a derramar sangue* (Pv 1.10,11,15,16).

Abrão

Mais tarde, Deus, quando fala a Abrão em sua velhice, lhe diz: "*Eu sou o Deus Todo-Poderoso;* *<u>anda</u>* (הָלַךְ) (halak) *na minha presença e sê* *<u>perfeito</u>* (תָּמִים) (tamiym)" (Gn 17.1). Deus deseja que Abrão ande com Ele em integridade, com um coração não dividido. O nosso andar, mais cedo ou mais tarde, vai se evidenciar em nosso falar, expressando conceitos e hábitos adquiridos.

Jó

Jó, diante das falsas acusações de seus amigos, declara: "*Eu sou irrisão para os meus amigos; eu, que invocava a Deus, e ele me respondia; o justo e o* <u>reto</u> (תָּמִים) (tamiym) *servem de irrisão*" (Jó 12.4). A situação de Jó é dramática. Ele procurava seguir com integridade a Deus, contudo, não consegue entender porque está passando por toda essa aflição. O paciente Jó (Tg 5.11), como humano que é, não consegue discernir perfeitamente o propósito de Deus naquelas circunstâncias. Ele serve de escárnio a seus companheiros, fruto de uma interpretação pragmática.

PARTE 2

INTEGRIDADE NO VIVER

Deus deseja não apenas que tenhamos integridade no sentir, mas que a revelemos no fazer. Integridade não é uma mera abstração intelectual que fica apenas na esfera virtual. O nosso comportamento, biblicamente correto, acompanhado de motivações justas, revela a nossa integridade. Deus não quer que pratiquemos isoladamente atos externos de obediência sem um coração comprometido. Integridade requer compromisso com o que cremos. E o que cremos deve ser constantemente avaliado, corrigido, aperfeiçoado e reforçado pelas Escrituras.

Deus requer a nossa integridade quanto ao ser e também quanto ao fazer. Isto não significa que as nossas obras sejam boas, mas que sejam as melhores que podemos fazer naquelas condições. Isto, longe de apontar para uma acomodação, indica o nosso desejo de fazer o melhor.

Deixe-me ilustrar parte do que estou dizendo. Na Universidade Mackenzie, temos um curso destinado a pessoas que já tenham formação em nível superior, mas que desejam se aperfeiçoar no sentido de conhecer melhor a forma de pensar contemporânea e sejam instruídas quanto à maneira cristã de ler e atuar na realidade. Este curso é denominado *Fundamentos Cristãos da Educação*. Como participei ativamente da criação deste programa, costumava dizer aos alunos mais ou menos o seguinte: "Este curso não é perfeito, contudo, é o melhor que podemos oferecer em relação à nossa escola. Escolhemos os melhores professores que tínhamos para oferecê-lo". Em síntese, o nosso melhor não é necessariamente adequado, contudo é o que Deus requer de nós. Isto, sem dúvida, não é um ponto final, visto que, certamente, podemos melhorar e aperfeiçoar o nosso "melhor" para a glória de Deus no desempenho de nossas vocações.

Dentro de uma perspectiva complementar, lemos em Calvino algo tremendamente sério: "Pode acontecer que o homem desempenhe seus deveres de acordo com suas melhores habilidades, porém, se seu coração não está naquilo que faz, lhe falta muito para chegar à sua meta".[1]

Neste texto, vimos que Deus deseja que sejamos íntegros. Agora ele passa a demonstrar de forma ilustrativa como esta integridade se manifesta no nosso fazer. Vejamos, então, os princípios orientadores de Deus que devem regular as nossas ações.

2

PRATICANDO A JUSTIÇA

"O que vive com integridade e pratica a justiça (צֶדֶק) (tsedeq) *e, de coração, fala a verdade"* (Sl 15.2)

A justiça é inerente ao conceito de Deus no Antigo Testamento, bem como ocupa um lugar central em todas as relações humanas.[1] "Dentre os conceitos que designam as relações vitais do homem, o conceito de *tzedâkâh* é o mais importante e o mais central de todo o Antigo Testamento. Constitui o critério das relações entre o homem e Deus, dos homens entre si, até nas disputas mais insignificantes, do homem com os animais e do homem com o ambiente natural em que ele se move. O *tzedâkâh* pode, simplesmente, ser apontada como o valor supremo da vida e o fundamento em que repousa toda a existência ordenada".[2]

Deus é justo em si mesmo; é absolutamente justo e, por isso mesmo, em suas relações. Não há nenhum desvio no caráter de Deus. A justiça é a manifestação do caráter essencialmente santo de Deus. Podemos, portanto, dizer que a justiça é a exteriorização da santidade de Deus em suas relações com as suas criaturas, conforme revelada nas Escrituras.

A prática da *justiça,* que pode ser chamada de *retidão,* consiste em agir em harmonia com a Palavra de Deus, aplicando os princípios e preceitos revelados por Deus em cada relação e circunstância. O ponto de partida será sempre o Deus soberano que se revela. "O centro de referência na teologia bíblica para a questão da justiça é, em primeiro lugar, a justiça de Deus".[3]

O conceito bíblico de justiça, portanto, é o de proceder conforme um padrão, uma lei. Neste caso, o padrão é o próprio Deus: "Eis a Rocha! Suas obras são perfeitas, porque todos os seus caminhos são juízo; Deus é fidelidade, e não há nele injustiça; é justo (צַדִּיק)(tsadiq) e reto" (Dt 32.4). "Justo (צַדִּיק) (tsadiq) é o SENHOR em todos os seus caminhos, benigno em todas as suas obras" (Sl 145.17).

A nossa motivação primeira para a prática da justiça jaz em Deus, visto que Deus, o nosso Senhor, coerente consigo mesmo, ama a justiça: "Porque o SENHOR é justo (צַדִּיק) (tsadiq), ele ama a justiça (צְדָקָה)(tsedaqah); os retos lhe contemplarão a face" (Sl 11.7).

Novamente: "Ele ama a justiça (צְדָקָה)(tsedaqah) e o direito; a terra está cheia da bondade do SENHOR" (Sl 33.5).

Contudo, quem de nós é suficiente para estas coisas? Precisamos, muitas vezes com dificuldade, discernir o que é justo e, em um passo seguinte, agir conforme esta compreensão que deve ser modelada pela Palavra. O salmista ora neste sentido: "Guia-me pelas veredas da justiça (צֶדֶק) (tsedeq) por amor do seu nome" (Sl 23.3).

Além de uma prática universal da justiça, as Escrituras nos falam de uma *justiça comercial:* "Balanças justas (צֶדֶק) (tsedeq), pesos justos (צֶדֶק) (tsedeq), efa justo (צֶדֶק) (tsedeq) e justo (צֶדֶק) (tsedeq) him tereis. Eu sou o SENHOR, vosso Deus, que vos tirei da terra do Egito" (Lv 19.36/Pv 16.11).[4]

O salmista pede a Deus discernimento para que possa viver em conformidade com os testemunhos de Deus: "Eterna é a justiça (צֶדֶק) (tsedeq) dos teus testemunhos; dá-me a inteligência (בִּין) (biyn) *deles, e viverei*" (Sl 119.144). Isto se manifesta no governo justo de Davi: "Reinou, pois, Davi sobre todo o Israel; julgava e fazia justiça (צְדָקָה)(tsedaqah) a todo o seu povo" (2Sm 8.15/1Cr 18.14).

Salomão pede a Deus o senso de justiça: "Concede ao rei, ó Deus, os teus juízos e a tua justiça (צְדָקָה)(tsedaqah), ao filho do rei" (Sl 72.1).

Posteriormente, Salomão pôde dizer: "Ando pelo caminho da justiça (צְדָקָה) (tsedaqah), no meio das veredas do juízo" (Pv 8.20). Quando o homem se desvia do caminho da justiça, a sua trilha será marcada por iniquidade e, consequentemente, frustração e desespero.

"Quem se desvia do caminho da justiça, há de vagar na maior miséria pelas sendas da iniquidade", vaticina Agostinho.[5] Isto nos parece óbvio. Como requerer justiça que nos favoreça como consequência de nossa injustiça? Deste modo, assustadoramente, podemos dizer que o homem injusto teme a justiça. Por outro lado, quando é de seu interesse, deseja a justiça. Por sua vez, a justiça resultante da prática da injustiça é consequência punitiva da injustiça. Temos aqui um círculo vicioso armado pelo pecado.

Jó, relembrando a sua prática recente, relata aspectos da sua "*roupa de justiça*":

> Porque eu livrava os pobres que clamavam e também o órfão que não tinha quem o socorresse. A bênção do que estava a perecer vinha sobre mim, e eu fazia rejubilar-se o coração da viúva. Eu me cobria de <u>justiça</u> (צֶדֶק)(tsedeq), e esta me servia de veste; como manto e turbante era a minha equidade. Eu me fazia de olhos para o cego e de pés para o coxo. Dos necessitados era pai e até as causas dos desconhecidos eu examinava (Jó 29.12-16).

O justo age desinteressadamente, sem pretensão de ser beneficiado por quem o ajudou: "O ímpio pede emprestado e não paga; o <u>justo</u> (צַדִּיק) (tsadiq), porém, se compadece e dá" (Sl 37.21).

O senso de justiça divina envolve também as nossas orações. Como sabemos que Deus é absolutamente justo,[6] sendo eterna a sua justiça[7] e os seus mandamentos,[8] as nossas petições devem ser por questões justas, visto que a justiça se constitui em um dos fundamentos do trono divino.[9]

Nas Escrituras, encontramos o salmista orando a Deus por uma causa considerada justa: "Ouve, SENHOR, a causa <u>justa</u> (צֶדֶק) (tsedeq), atende ao meu clamor, dá ouvidos à minha oração, que procede de lábios não fraudulentos" (Sl 17.1). Ao mesmo tempo, em outro contexto, pede o livramento de Deus por sua justiça: "Em ti, SENHOR, me refugio; não seja eu jamais envergonhado; livra-me por tua justiça (צְדָקָה) (tsedaqah)" (Sl 31.1).[10]

Andar em justiça, ou seja, conforme os mandamentos de Deus, é uma forma preventiva de nos guardar, livrando-nos de ingressar no espiral de subversão pecaminosa que nos conduziria a um abismo de maldade e práticas injustas, com uma visão distorcida da realidade, nos distanciando cada vez mais de Deus: "A justiça (צְדָקָה)(tsedaqah) guarda ao que anda em integridade (תֹּם)(tom) (= sinceridade), mas a malícia subverte (סָלַף) (salap) (= distorce, perverte) ao pecador" (Pv 13.6).

Quando seguimos a justiça de Deus, estamos amparados nos seus ensinamentos, que são perfeitos, não havendo contradição nos mesmos. Deste modo, podemos estar seguros em nossos caminhos.

O caminho da injustiça pode parecer bastante promissor, mostrando conquistas já nos primeiros cruzamentos. Contudo, o seu fim é trágico, visto que a injustiça promove a injustiça e dela se alimenta. A injustiça não pode ser o fundamento duradouro de uma vida e de uma sociedade.

Certamente, uma das formas de nos preservar é nos ensinar a nos contentar com o que temos, sem nos deixar fascinar pelo caminho aparentemente fácil e fascinante da injustiça: "Melhor é o pouco, havendo justiça (צְדָקָה)(tsedaqah), do que grandes rendimentos com injustiça" (Pv 16.8).

A injustiça pode nos fornecer a falsa sensação de que este caminho é mais eficaz e produtivo. Ledo engano. Salomão já nos adverte quanto a isso: "O perverso recebe um salário ilusório, mas o que semeia justiça (צְדָקָה)(tsedaqah) terá recompensa verdadeira" (Pv 11.18).

Na Lei, deparamo-nos com a instrução de Deus quanto ao procedimento dos juízes: "Não farás injustiça no juízo, nem favorecendo o pobre, nem comprazendo ao grande; com justiça (צֶדֶק) (tsedeq) julgarás o teu próximo" (Lv 19.15/Lv 19.35).

De modo mais abrangente, Deus prescreve:

> Nem com o pobre serás parcial na sua demanda. Se encontrares desgarrado o boi do teu inimigo ou o seu jumento, lho reconduzirás. Se vires prostrado debaixo da sua carga o jumento daquele que te aborrece, não o abandonarás, mas ajudá-lo-ás a erguê-lo. Não perverterás o julgamento (מִשְׁפַּט) (mishpat)[11] do teu pobre na sua causa (Ex 23.3-6).

Da mesma forma, vamos encontrar a advertência contra Joaquim, rei de Judá: "Ai daquele que edifica a sua casa com injustiça (לֹא־צֶדֶק) (lô'tsedeq) e os seus aposentos, sem direito! Que se vale do serviço do seu próximo, sem paga, e não lhe dá o salário" (Jr 22.13).

A Palavra também nos mostra que Deus ama aquele que segue a justiça, que anda nos seus caminhos: "O caminho do perverso é abominação ao SENHOR, mas este ama o que segue a justiça (צְדָקָה)(tsedaqah)" (Pv 15.9).

A prática da justiça é mais aceitável a Deus do que o culto destituído deste sentimento e de ações concretas: "Exercitar justiça (צְדָקָה)(tsedaqah) e juízo é mais aceitável ao SENHOR do que sacrifício" (Pv 21.3).

O Deus a quem supostamente oferecemos o nosso culto, conhece nossos corações a ações. Sendo ele justo, sonda com justiça as nossas intenções, daí dizer o salmista: "Cesse a malícia dos ímpios, mas estabelece tu o justo (צַדִּיק) (tsadiq); pois sondas a mente e o coração, ó justo (צַדִּיק) (tsadiq) Deus" (Sl 7.9).

No oitavo século a.C., antes do cativeiro assírio (722 a.C.), por intermédio do profeta Amós, Deus adverte explicitamente ao povo que, cada vez mais distante dele, corrompia o juízo, transformando a justiça de Deus em algo amargo (Am 5.7,15; 6.12):

> Aborreço, desprezo as vossas festas e com as vossas assembléias solenes não tenho nenhum prazer. E, ainda que me ofereçais holocaustos e vossas ofertas de manjares, não me agradarei deles, nem atentarei para as ofertas pacíficas de vossos animais cevados. Afasta de mim o estrépito dos teus cânticos, porque não ouvirei as melodias das tuas liras. Antes, corra o juízo como as águas; e a justiça (צְדָקָה) (tsedaqah), como ribeiro perene" (Am 5.21-24).

Praticar a justiça é, em última instância, servir a Deus. Por meio de Malaquias, Deus diz que no final, diante do juízo de Deus, será evidenciado que o justo, sem dúvida, declarado justo pela graça, é o que serve, obedece a Deus: "Então, vereis outra vez a diferença entre o justo (צַדִּיק) (tsadiq) e o perverso, entre o que serve a Deus e o que não o serve" (Ml 3.18).

Quando falamos de justiça é natural que pensemos nas grandes decisões judiciais, envolvendo advogados, promotores, juízes e tribunais. Contudo, devemos entender que a justiça não se limita apenas a estas esferas, ainda que estas não sejam de pouca importância. Talvez em nosso dia a dia, seja mais comum pensar de forma mais ligada à realidade que nos cerca. Como ser justos? Qual o princípio que deve nortear o nosso senso de justiça? Em nossas relações sociais, familiares, eclesiásticas e profissionais, por exemplo, temos sido justos?

Ilustro: Não disciplinar o nosso filho em determinadas circunstâncias pode ser injusto. Da mesma forma, o não reconhecer e falar com nossa esposa o quanto apreciamos a refeição que ela preparou. Deixar de reconhecer de forma concreta o mérito de nosso colega (na produção de um artigo, por exemplo) ou de um funcionário pode ser um ato injusto. O plágio é injusto por você não conceder crédito a quem de direito, além de auferir vantagens, enganando as pessoas.

Parece-me, biblicamente, que ser justo é dar a cada um o que lhe é devido (Rm 13.7). Partindo das Escrituras, tendo a Deus como Senhor de todas as coisas, a quem devemos amar, cultuar e obedecer, devemos ter como quadro geral de nossa reflexão e ação o princípio de que em todas as nossas relações, o ser humano, por ser imagem de Deus, deve ser alvo de nosso respeito e amor,[12] independentemente de sua condição e, até mesmo, fé.[13] A criação, por sua vez, incluindo os animais, fazem parte da esfera ecológica envolvendo a nossa responsabilidade de cultivar e guardar (Gn 2.15). Creio que a partir destas referências poderemos aplicar com discernimento os princípios e regras da Palavra, rogando sempre a Deus o discernimento em todas as questões.

Sem dúvida, haverá situações em que aplicar simplesmente a letra da Lei poderá ser injusto. Para isso, faz-se necessário sempre entender as regras e princípios que certamente envolvem os agravantes e atenuantes de cada caso, examinando as nossas motivações e propósitos, rogando a Deus que nos dê sabedoria na aplicação da sua Palavra. Deve-se saber que, por vezes, o caminho entre a lei e a misericórdia, também prevista pela Lei, é o do sacrifício, abrindo mão do que nos é devido, contudo, renunciando isto em prol de um bem maior, que pode ser o não escandalizar o nosso irmão, por exemplo (Rm 14.15). Sei que estes princípios, por vezes, confundem-se em nossa mente tão limitada e envolvida por diversas paixões. Devemos, entretanto, continuar sinceramente buscando praticá-los, rogando sempre a Deus que nos dê sabedoria (Tg 1.5) na aplicação de sua Palavra.

Portanto, bem-aventurados são aqueles que servem a Deus na prática da justiça: "Bem-aventurados os que guardam a retidão e o que pratica a justiça (צְדָקָה) (tsedaqah) em todo tempo" (Sl 106.3).

Contudo, mesmo havendo extensa e intensa orientação para que guardemos a Palavra de Deus e busquemos a justiça, a nossa certeza é a de que somos salvos, declarados justos pela misericórdia de Deus revelada plenamente em Cristo.

Conforme tratamos em outro lugar,[14] a justiça de Deus não é estéril; ela frutifica. Nós, justificados por Deus em Cristo (*justiça legal ou forense*), somos chamados a vivê-la diariamente (*justiça ética e social*),[15] como reflexo da nossa nova natureza. Em outras palavras, o desejo de justiça se revela em nossa santificação. Ter fome e sede de justiça é o desejo de ser santo, conforme o padrão absoluto que temos em Jesus Cristo.[16] Significa ter desejo intenso por Deus: "Como suspira a corça pelas correntes das águas, assim, por ti, ó Deus, suspira a minha alma. A minha alma tem sede de Deus, do Deus vivo; quando irei e me verei perante a face de Deus?" (Sl 42.1-2).

É desta forma que Daniel ora a Deus, confiando unicamente na misericórdia do Senhor, não em sua suposta justiça: "Inclina, ó Deus meu, os ouvidos e ouve; abre os olhos e olha para a nossa desolação e para a cidade que é chamada pelo teu nome, porque não lançamos as nossas súplicas perante a tua face fiados em nossas justiças (צְדָקָה)(tsedaqah), mas em tuas muitas misericórdias" (Dn 9.18). Esta deve ser também a expressão de nossa fé.

3

AMANDO O PRÓXIMO

Muitas vezes, gostamos de discutir questões apenas pelo prazer de discuti-las. Somos perspicazes em nossa análise, perguntas, argumentação, respostas e, até mesmo, em nossa ironia. Contudo, quando termina a "rodada" do assunto, nada muda; estamos dispostos a retornar à nossa rotina como antes, talvez apenas com uma sensação prazerosa de que fizemos prevalecer o nosso pensamento ou que desmantelamos determinado argumento, citando um autor que está em voga. Agora é só esperar surgir uma nova polêmica ou voltarmos à anterior. Sim, ela voltará. Basta surgir uma oportunidade.[1]

Curiosamente, a Escritura pouco se preocupa com o pensamento teórico destituído de relevância prática. Ela não se perde em questões irrelevantes, ou seja, assuntos que servem apenas para a nossa especulação e, em nada edificam. Observem que todas as especulações levantadas ao longo da história a respeito de temas bíblicos, depois de muito suor sincero resultado de um esforço intelectual e desfile de sutilezas vaidosas e vazias, terminam - quando retornamos ao equilíbrio bíblico -, com uma confissão um tanto constrangida e desajeitada de nossa ignorância. Percebam que não estou dizendo que a Bíblia seja superficial ou esteja apenas pensando no fazer. Antes, o que estou afirmando é que a Escritura, quando fala de questões transcendentes e metafísicas, o que faz com frequência, está relacionando-as ao nosso crer e viver, exibindo aspectos que se constituem, por vezes, em fundamentos de nossa fé. A revelação de Deus é suficiente, abrangente e completa. Na Escritura, temos tudo o que Deus quer que saibamos, creiamos e que se torne o manual de nossa vida. A Palavra nos propõe uma vida condizente e harmoniosa entre o crer e o viver. Os mandamentos de Deus são para serem cridos e obedecidos. Pode ser muito cômodo manter os nossos olhos inquietos ou absortos diante do mistério, enquanto os nossos braços permanecem cruzados e os nossos lábios silentes em relação ao revelado.

Gosto de recordar a carta-resposta (1551) de Calvino a Laelius Socino (1525-1562)[2], na qual este fazia várias especulações:

> Certamente, ninguém pode ser mais adverso ao paradoxo do que eu, e não tenho nenhum deleite em sutilezas. No entanto, nada jamais me impedirá de confessar abertamente aqui-

> lo que tenho aprendido da Palavra de Deus, pois nada, senão o que é útil, é ensinado na escola desse mestre. Ela é meu único guia, e aquiescer às suas doutrinas manifestas será a minha constante regra de sabedoria. (...) Se você tem prazer em flutuar em meios a essas especulações etéreas, permita-me, peço-lhe eu, humilde discípulo de Cristo, meditar naquilo que conduz à edificação da minha fé.[3]

A Palavra de Deus não se ocupa em satisfazer a superficialidade de nossas inquirições carnais, mas tem muito a dizer a respeito da solução divina para a grave e profunda miséria em que o homem se encontra sem Deus.

Neste texto, lemos Deus estabelecendo um princípio bastante prático para o nosso viver cotidiano como reflexo da integridade proposta: "... não faz mal (רַע)(ra`) ao próximo" (Sl 15.3).

Numa academia de intelectuais certamente surgiria uma pergunta: "o que é o mal?". Por traz desta indagação, uma declaração que viria à tona ou permaneceria estrategicamente guardada para um próximo momento seria: "o que é mal para você pode ser bom para mim e vice-versa". Para não ficar em desvantagem, talvez eu pudesse dizer algo mais ou menos assim: "Há remédios amargos ao paladar que são ótimos para a saúde". A partir daí, ingressaríamos num campo fascinante de descontraída troca de experiências e ilustrações casuísticas... Contudo, pergunto: estaríamos errados em pensar deste modo? Retardemos um pouco a nossa resposta. Analisemos algumas questões:

O SUBJETIVISMO ÉTICO INDIVIDUAL

Ainda que este nome (subjetivismo) seja moderno (século XIX), a sua percepção é bem antiga, sendo encontrada já nos sofistas no Século V a.C.[4]

Para o subjetivismo, a validade da verdade está limitada ao sujeito que conhece e julga. Desta forma, não podemos falar de uma realidade idêntica para todo o ser humano. Toda certeza é pessoal, visto que toda a verdade é subjetiva. O certo e o errado não estão associados às coisas em si, mas, sim, a como lidamos subjetivamente com tais coisas.[5] Os conflitos nada mais são do que interesses e desejos diferentes. O bem e o mal é aquilo que desejo que seja, conforme resumiu Thomas Hobbes (1588-1679): "Seja qual for o objeto do apetite ou desejo de qualquer homem, esse objeto é aquele a que cada um chama *bom*; ao objeto de seu ódio e aversão chama *mau*, e ao de seu desprezo chama *vil* e *indigno*. Pois as palavras 'bom', 'mau' e 'desprezível' são sempre usadas em relação à pessoa que as usa. Não há nada que o seja simples e absolutamente, nem há qualquer regra comum do bem e do mal que possa ser extraída da natureza dos próprios objetos".[6]

O subjetivismo privilegia o fato de que os seres humanos são diferentes e com compreensões díspares. Assim, toda a verdade encontra um âmbito limitado. No subjetivismo há, de certa forma, a arbitrariedade do sujeito que julga, formulando suas opiniões conforme os seus interesses pessoais, valendo-se de racionalizações para justificar as suas escolhas.[7] Deste modo, uma das consequências desta postura é a convicção de que a pessoa que julga está sempre certa.

Isaías descreve o estado de subjetivismo ético[8] em que se encontravam os líderes de Israel, praticando de forma descarada toda sorte de perversão moral. Contudo, ironicamente, mudando o nome[9] de sua prática.[10]

> Ai dos que puxam para si a iniquidade com cordas de injustiça e o pecado, como com tirantes de carro! E dizem: Apresse-se Deus, leve a cabo a sua obra, para que a vejamos; aproxime-se, manifeste-se o conselho do Santo de Israel, para que o conheçamos. Ai dos que ao mal (רַע)(ra`) chamam bem e ao bem, mal (רַע)(ra`); que fazem da escuridade luz e da luz, escuridade; põem o amargo por doce e o doce, por amargo! Ai dos que são sábios a seus próprios olhos e prudentes em seu próprio conceito! Ai dos que são heróis para beber vinho e valentes para misturar bebida forte, os quais por suborno justificam o perverso e ao justo negam justiça (Is 5.18-23).

> Pelo que o direito se retirou, e a justiça se pôs de longe; porque a verdade anda tropeçando pelas praças, e a retidão não pode entrar. Sim, a verdade sumiu, e quem se desvia do mal (רַע)(ra`) é tratado como presa. O SENHOR viu isso e desaprovou o não haver justiça (Is 59.14-15).[11]

A PALAVRA COMO A VERDADE ABSOLUTA

Na *Oração Sacerdotal,* Jesus declara a certeza da veracidade da Palavra de Deus: "A tua Palavra é a verdade (ἀλήθεια)" (Jo 17.17). E continua: "E a favor deles eu me santifico a mim mesmo, para que eles também sejam santificados na verdade (ἀλήθεια)" (Jo 17.19).

Jesus Cristo não nos diz que a Palavra de Deus se harmoniza com algum outro padrão distinto, decorrendo daí a sua veracidade, antes, o que ele afirma é que a sua Palavra é a própria verdade, o padrão de verdade ao qual qualquer alegação pretensamente verdadeira deverá se adequar.[12] E mais: por mais verdadeiras que sejam nossas pesquisas e descobertas, se desconsiderarem as Escrituras, serão, no mínimo, incompletas. Tomo aqui a observação de Van Til: "... Não há nada neste universo sobre o qual os seres humanos possam ter informação completa e verdadeira, exceto se levarem a Bíblia em consideração. Não queremos dizer, é claro, que alguém deve recorrer à Bíblia, em vez de ir ao laboratório, se pretende estudar a anatomia de uma serpente. Mas se alguém vai apenas ao laboratório, e não também à Bíblia, não terá uma interpretação correta, ou mesmo verdadeira, acerca da serpente".[13]

Etimologicamente, a ideia da palavra verdade (ἀλήθεια) é de "não ocultamento", mostrando-se tal qual é em sua pureza, sem falsificação. A palavra confere o sentido de *confiabilidade, autenticidade, honradez, segurança*. Jesus diz ao Pai que proclamou a sua Palavra, a qual é a verdade; nela não há ambiguidade, dupla intenção, antes, expressa as coisas como realmente são em sua essência.

Assim, em sua oração, Jesus Cristo, em certo sentido, nos diz que a Palavra de Deus é real, não apenas aparentemente. Se me permitirem usar tal expressão, diria que *a Palavra de Deus é a verdade verdadeira!*. "As Escrituras não são apenas a verdade inteira; elas são também o mais elevado padrão de toda verdade – a regra pela qual todas as alegações de verdade devem ser medidas", enfatiza MacArthur.[14]

A verdade revelada nas Escrituras é a realidade como Deus a percebe. Deus percebe as coisas como são. Somente Deus, e mais ninguém, tem um conhecimento objetivo da realidade. As coisas são como são porque de alguma forma Deus as sustenta. Antes de atribuirmos valor à verdade, ela já o tem porque foi Deus quem a criou e lhe confere significado. A verdade é uma expressão de Deus em si mesmo e na criação. Deus é a verdade, opera por meio da verdade e nos conduz à verdade. A graça de Deus opera pela verdade e nesta verdade que foi ouvida e compreendida, frutificamos (Cl 1.6). "A verdade é aquilo que é consistente com a mente, a vontade, o caráter, a glória e o ser de Deus. Sendo mais preciso: a verdade é a auto-expressão de Deus".[15] Por isso, a verdade é sempre essencial. O Cristianismo não se sustenta amparado em aparências, circunstâncias e ambiguidades. Pelo contrário, ele proclama a verdade e se dispõe a ser examinado à luz da verdade. Ou a sua mensagem é verdadeira ou não há mensagem relevante a ser proclamada. "Como sempre, verdade é a questão essencial. Onde uma noção clara da verdade está ausente, o Cristianismo torna-se mais uma atitude do que um sistema de crenças. Contudo, a crença sempre pressupõe uma verdade que pode e deve ser conhecida".[16]

A situação do homem alienado de Deus é de tão intensa gravidade que não comporta paliativos, abstrações e, muito menos, ficções. O propósito eterno de Deus nos fala do amor concreto de Deus que se manifesta de forma contundente na morte e ressurreição de Cristo. Sem a historicidade da morte e ressurreição não há o que fazer. Permaneceríamos em nossos pecados, fadados à condenação eterna. É por isso que a mensagem cristã é uma mensagem verdadeira e urgente.

O Cristianismo revela a sua coerência lógica e espiritual pelo seu comprometimento com a verdade. Não há relevância na mentira. A proclamação cristã insiste no fato de que Deus é verdadeiro e que se revela, dando-se a conhecer. As Escrituras enfatizam esta realidade que confere sentido a toda a nossa existência, quer aqui, quer na eternidade. Deus é transcendente e pessoal. Ele se relaciona pessoalmente conosco.

DEUS E O MAL

Neste ponto, antes de sermos tentados a viajar em nossas especulações, as palavras de Edgar são-nos suficientes: "As Escrituras não nos detêm com um discurso especulativo sobre as origens do mal, mas nos falam tudo a respeito da solução do problema. Jesus Cristo veio ao mundo para vencer o mal em todas as suas formas".[17]

O mal não prevalece porque Deus não o permite

Os atos de maldade não prevalecem porque Deus, como ser moral que é e Senhor da história, tendo o controle de todas as coisas, não o permite. Como diz o salmista: "Pois tu não és Deus que se agrade com a iniquidade, e contigo não subsiste o mal (רַע)(ra`)" (Sl 5.4).

Deus não é Indiferente aos atos maus

O domínio ético de Deus sobre a história é algo real. Por isso, considerar Deus indiferente ao mal é uma ofensa a ele, visto que tal pensamento seria uma afronta à sua santa e soberana justiça. A Palavra de Deus nos instrui quanto a isso em diversos textos: "O rosto do SENHOR está contra os que praticam o mal (רַע)(ra`) ...." (Sl 34.16). "Enfadais o SENHOR com vossas palavras; e ainda dizeis: Em que o enfadamos? Nisto, que pensais: Qualquer que faz o mal (רַע)(ra`) passa por bom aos olhos do SENHOR, e desses é que ele se agrada; ou: Onde está o Deus do juízo?" (Ml 2.17).

Nossos pecados são maus aos olhos de Deus

Ainda que alguns de nossos atos possam ser justificados cultural e socialmente, se não forem condizentes com a Palavra, são pecaminosos e, portanto, considerados maus diante de Deus.

Daí Davi, no alto de seu prestígio e poder, arrependido, teve de confessar a Deus o seu pecado, que culminou com seu adultério com Bate-Seba e a morte de Urias (2Sm 11): "Pequei contra ti, contra ti somente, e fiz o que é mal (רַע)(ra`) perante os teus olhos, de maneira que serás tido por justo no teu falar e puro no teu julgar" (Sl 51.4).

O terrível é que muitas vezes usamos dos recursos que Deus nos dá justamente para ofendê-lo, blasfemando o seu nome. Ao povo rebelde de Israel que afrontava a Deus com a sua desconfiança e prática idólatra, Deus diz por intermédio do profeta Oséias (c. 750-723 a.C.): "Adestrei e fortaleci os seus braços; no entanto, maquinam (רַע)(ra`) contra mim" (Os

7.15). Por meio de Isaías (c. 740-701 a.C.), contemporâneo de Oséias, Deus também advertira: "Lavai-vos, purificai-vos, tirai a maldade (רֹעַ) (roa`) de vossos atos de diante dos meus olhos; cessai de fazer o mal (רֹעַע) (ra`a`)" (Is 1.16).

O culto destituído de obediência é mal perante deus[18]

A perversão do culto vem sempre acompanhada de uma perversão espiritual, moral e intelectual. Quando os homens corrompem o genuíno culto a Deus refletem a gravidade de sua doença espiritual que, mais cedo do que se espera, concretizar-se-á em outras áreas de sua vida. O culto é sempre um termômetro da vida espiritual da igreja. Por meio do culto que a igreja presta, podemos avaliar a sua situação espiritual. Na história de Israel, podemos ver que as distorções do culto a Deus estavam sempre relacionadas a uma baixa vida espiritual, a um distanciamento de Deus, que trazia implicações familiares, sociais, políticas e religiosas. Num sentido mais amplo, podemos observar que, em geral, a idolatria traz consigo uma total dissolução moral. O paganismo é sempre pródigo em sua sensualidade desregrada, ou seja, idólatra.

Após o cativeiro babilônico (c. 536 a.C.), o povo voltou e reconstituiu a sua vida, os muros e o templo. Promessas foram cumpridas, votos foram feitos e renovados. Contudo, o tempo passou. O conforto, ainda que mesclado com alguns dissabores, faz com que nos esqueçamos das angústias do passado. O passado pode se tornar tão distante à medida que queremos vê-lo às costas. Quem deseja cultivar a lembrança de dores e sofrimento? De fato, rememorar tais lembranças pode se constituir em um desejo mórbido. Todavia, considerar a história, os erros e acertos, a disciplina e a bênção de Deus pode ser muito instrutivo e edificante. Contudo, não foi isso que aconteceu.

O Livro do profeta Malaquias reflete um tempo posterior (c. 440 a.C.), quando o povo já se esquecera da fidelidade à aliança de Deus. Os líderes do povo – Esdras e Neemias – tinham morrido e parecia que nada de novo acontecia. Deus se esquecera do seu povo? Era uma pergunta comum. Neste contexto, a religiosidade nem sequer era aparente. O descaso era visível: ofereciam a Deus pão imundo (Ml 1.7);[19] animal cego, coxo, enfermo, dilacerado (Ml 1.8,13).[20] A fé se esfriara, o povo perdera a dimensão da realidade da presença e do poder de Deus. É neste contexto que nos deparamos com a profecia de Malaquias.

Aqui Deus mostra como este abandono tem reflexos na vida familiar. A aliança tem como ingrediente incondicional a fidelidade. Deus mostra que o povo de Judá o desonrava (Ml 1.6; 2.2) nos seus pensamentos (Ml 1.7; 2.17), nos sacrifícios e ofertas (Ml 1.7,8), nas palavras (Ml 1.2,13; 2.17; 3.13-15), no abandono da Lei e da instrução (Ml 2.6-9;3.7), na parcialidade (Ml 2.9), na profanação da aliança (Ml 2.8,10,11), na visão precipitada de Deus (Ml 2.17; 3.14,15), na infidelidade nos dízimos e ofertas (Ml 3.8-10).

Deus demonstra que não se agrada de todo culto que supostamente lhe é dirigido (Ex.: Is 1.13-16; Am 5.21-27/Mt 6.5; Mq 6.6-8; Ml 1.7-14; 2.13).[21] Devemos prestar um culto agradável a Deus, com reverência e santo temor (Hb 12.28;

13.16). Não podemos simplesmente nos apresentar diante de Deus de qualquer jeito, oferecendo-lhe algo que simplesmente nos pareça agradável.[22] No culto público, não há lugar para frivolidade e superficialidade. Nós, pecadores, estamos, por graça, diante do majestoso Senhor da glória em adoração. "Na presença divina, a única coisa que se destaca é a natureza santa de Deus e o nosso próprio pecado. Humilhamo-nos e com reverência o adoramos".[23] O nosso Pai é justo (Jo 17.25).

Ao povo que pensava prestar um culto meramente formal para supostamente agradar a Deus, Deus diz que o mundo é seu e que ele não necessita de carne de touros e sangue de cabritos (Sl 50.8-13).[24] Deus não tem nenhum prazer em sacrifício de animal sem o sacrifício da oração dentro do qual o coração é comprometido. A confissão de sua Palavra sem uma vida que se coadune com seus ensinamentos é uma abominação a ele. Este mesmo princípio está expresso em diversas passagens bíblicas: Salmos 24.1-6; 40.7-9; 50.14,16-22; 51.16-17; Oseias 6.6; Miqueias 6.6-8, fazendo eco à 1 Samuel 15.22: "tem porventura o Senhor tanto prazer em holocaustos e sacrifícios quanto em que se obedeça à sua palavra? Eis que o obedecer é melhor do que o sacrificar, e o atender do que a gordura de carneiros" (1Sm 15.22). (Vejam-se também: Pv 21:3, Is 1:11-15). Um culto que vise a apenas cumprir externamente a Lei de Deus ou obter favores de Deus é profundamente desolador para o Senhor (Is 1.10-17; 29.13; Ml 1.10).[25] A nossa adoração não tem nenhum valor intrínseco. Por mais belo e harmonioso que seja o nosso culto, se não proceder de um coração contrito diante de Deus, de nada adiantará. Deus dele não se agradará. Deus é justo; não é subornável. "Precisamos enfatizar que orar não é um substituto para a obediência".[26] Ao contrário, a obediência sincera é uma expressão de culto.

Deus então fala de modo explícito ao povo de Israel que as suas ofertas litúrgicas eram más: "Quando trazeis animal cego para o sacrificardes, não é isso mal (רַע)(ra`)? E, quando trazeis o coxo ou o enfermo, não é isso mal (רַע)(ra`)? Ora, apresenta-o ao teu governador; acaso, terá ele agrado em ti e te será favorável? -- diz o SENHOR dos Exércitos" (Ml 1.8).

O HOMEM E A PRÁTICA DO MAL

> Sentar-se em uma sala de aula de filosofia e refletir sobre o problema do mal é, obviamente, diferente de ter de lidar com a notícia de que uma pessoa amada faleceu em um acidente de automóvel - Ronald H. Nash.[27]

A escolha de nossos primeiros Pais

Como os nossos primeiros pais foram levados ao pecado numa atmosfera perfeita? Talvez devido ao *"interesse existencial"*[28] do problema é que esta pergunta tem atravessado os séculos. A resposta para mim é simples e me contento com ela, não pelo prazer da ignorância, antes como uma confissão de meu limite dentro da esfera do revelado na Escritura:[29] não sei. O meu não saber não invalida o fato, nem elimina a razão de sua existência, apenas, resume uma ignorância pessoal.

A Palavra relata que Adão e Eva, criados em perfeita retidão, tendo perfeita liberdade de escolha, optaram por desobedecerem a Deus e comeram da árvore do conhecimento do bem e do mal que lhes fora expressamente proibida por quem tinha poderes para fazê-lo (Gn 2.15-17).

No Paraíso, Satanás tentou os nossos primeiros pais por meio do desejo, que certamente, de alguma forma, cultivavam de serem iguais a Deus. Eles se esqueceram de todo o histórico de sua relação com o Deus fiel, amoroso, justo e sábio.[30] O seu desejo falou mais alto aos seus corações. O desejo, ainda que por vezes momentâneo, tende a eternizar-se na brevidade de seu ardor. Aqui, eles conceberam o que pode ser chamado de *mal moral*.[31]

Paulo, interpretando o acontecimento histórico registrado em Gênesis, diz:

> Mas receio que, assim como a serpente enganou (ἐξαπατάω = desviou, seduziu, desencaminhou) a Eva com a sua astúcia (πανουργία[32] = "ardil", "truque", "maquinação", "trapaça"), assim também sejam corrompidas as vossas mentes, e se apartem da simplicidade e pureza devidas a Cristo" (2Co 11.3). Novamente: "A mulher, sendo enganada, (ἐξαπατάω) caiu em transgressão (1Tm 2.14).

O verbo grego[33] tem o sentido de enganar completamente, conseguindo totalmente o seu objetivo. Deste modo, Eva, segundo o texto nos diz, foi completamente enganada por Satanás. Assim, quando ela cede à tentação, está plenamente convencida de que o que faz é certo dentro de seus objetivos duvidosos. Daqui podemos concluir que a certeza subjetiva não significa necessariamente a correta interpretação dos fatos.

Na realidade, Eva e Adão desejaram a autonomia, ter um conhecimento independentemente de Deus. Queriam ser iguais a Deus, autossuficientes. O limite é, com frequência, o atrativo maior do desejado. Mas, ao mesmo tempo, o limite é o teste de nossa fidelidade e caminho de crescimento.

O pecado é enganoso, dando-nos a impressão, num primeiro momento, de plena e completa satisfação. Ele tende a satisfazer os nossos desejos mais imediatos, muitos dos quais até legítimos em determinadas circunstâncias. No entanto, fornece-nos caminhos que conflitam com a Palavra de Deus, que nos conduzem ao fracasso ou à perda da oportunidade de nosso amadurecimento, da lapidação do nosso caráter e vida espiritual.

Na narrativa bíblica da criação, lemos: "Do solo fez o SENHOR Deus brotar toda sorte de árvores agradáveis à vista e boas para alimento; e também a árvore da vida no meio do jardim e a árvore do conhecimento do bem e do mal (רַע) (ra`)" (Gn 2.9).

Lemos também a respeito da proibição divina aos nossos primeiros pais: "E o SENHOR Deus lhe deu esta ordem (צִוָּה) (tsavah): De toda árvore do jardim comerás livremente, [17]mas da árvore do conhecimento do bem e do mal (רַע)(ra`) não comerás; porque, no dia em que dela comeres, certamente morrerás" (Gn 2.16-17).

Eles desobedeceram. A chave da questão não está na árvore, antes, na desobediência à ordem de Deus: "Perguntou-lhe Deus: Quem te fez saber que estavas nu? Comeste da árvore de que te ordenei (צִוָּה) (tsavah) que não comesses?" (Gn 3.11).[34]

A condenação de Deus indica como Deus leva a sério o pecado. O pecado trouxe consigo a necessidade da manifestação do juízo de Deus. Adão e Eva, ao desobedecerem a Deus, tiveram a sua sentença de morte decretada. Eles, imediatamente, morreram espiritualmente, ficando separados de Deus. Todavia, a morte física, que veio também como consequência do pecado (Gn 2.16,17; 3.11-24; Rm 5.12),[35] não foi imediatamente executada, porque Deus usou de sua "graça comum", protelando a execução da sua sentença (Gn 3.15), concedendo oportunidade para o arrependimento do homem.[36]

As consequências, portanto, não foram simplesmente visivelmente imediatas. Elas ainda iriam aparecer. A natureza humana foi corrompida. O juízo de Deus entrou em processo de concretização, tornando a vida uma caminhada para a morte. O processo de morte entrou em cena na vida humana. O pecado passou a ser o selo de todas as suas obras: "Viu o SENHOR que a maldade do homem se havia multiplicado na terra e que era continuamente <u>mau</u> (רַע)(ra`) todo desígnio do seu coração" (Gn 6.5).[37]

Desde então, o pecado sujeitou o homem ao juízo histórico e eterno (Mt 5.21-22; 12.36; Rm 5.16; 1Tm 5.24). Por isso, parte deste juízo já é manifesto nesta vida (Jo 3.16-18), mas não totalmente. Daí a perplexidade de alguns servos de Deus, em determinados momentos da história, quando o mal parece oprimir e esmagar o bem (Sl 73.1-14; Hc 1.1-17; Ml 3.14-15).[38]

Antes de pecar, Adão tinha uma compreensão genuína a respeito de Deus. No entanto, "após a sua rebelião, ficou privado da verdadeira luz divina, na ausência da qual nada há senão tremenda escuridão".[39] O seu conhecimento tornou-se totalmente nulo quanto à salvação.[40] A Queda causou sérias consequências: a morte e a escravidão. "O gênero humano, depois que foi arruinado pela queda de Adão, ficou não só privado de um estado tão distinto e honrado, e despojado de seu primevo domínio, mas está também mantido cativo sob uma degradante e ignomínia escravidão".[41]

O pecado trouxe como implicação a perda do aspecto ético da imagem de Deus.[42] O homem, "em sua queda, foi despojado de sua justiça original, sua razão foi obscurecida, sua vontade, pervertida, e que, sendo reduzido, a este estado de corrupção, trouxe filhos ao mundo semelhantes a ele em caráter. Se porventura alguém objetar, dizendo que essa geração se confina aos corpos, e que as almas jamais poderão derivar uns dos outros algo em comum, eu responderia que Adão, quanto em sua criação foi dotado com os dons do Espírito, não mantinha um caráter privativo ou isolado, mas que era o representante de toda a humanidade, que pode ser considerado como tendo sido dotado com esses dons em sua pessoa; e deste conceito necessariamente se segue que, quando ele caiu, todos nós, juntamente com ele, perdemos nossa integridade original".[43]

A nossa vontade, como agente de nosso intelecto,[44] agora é oposta à vontade de Deus. O propósito divino de santidade para nós foi contraposto pelo desejo pecaminoso do homem de seguir seu próprio caminho à revelia de Deus e de seus mandamentos. "Observemos aqui que a vontade humana é em todos os aspectos oposta à vontade divina, pois assim como há uma grande diferença entre nós e Deus, também deve haver entre a depravação e a retidão".[45] A imagem que agora refletimos estampa mais propriamente o caráter de Satanás.[46] O homem está eticamente sobre o seu domínio.[47]

Contudo, por inteira graça de Deus, a nossa humanidade foi preservada. Após a Queda, mesmo o homem não regenerado continua sendo imagem e semelhança de Deus (*aspecto metafísico*):[48] Apesar de o pecado ter sido devastador para o homem, Deus não apagou a sua "imagem", ainda que a tenha corrompida, alienando-o de Deus.[49] "Pelo que, embora concedamos não haja sido nele aniquilada e apagada de todo a imagem de Deus, foi ela, todavia, corrompida a tal ponto que, o que quer que resta, é horrenda deformidade".[50]

Devemos detestar e fugir do mal

> Vós que amais o SENHOR, detestai o mal (רַע)(ra`); ele guarda a alma dos seus santos, livra-os da mão dos ímpios (Sl 97.10).

O salmista preventivamente suplica ao Senhor:

> "Longe de mim o coração perverso; não quero conhecer o mal (רַע)(ra`)" (Sl 101.4). Outro salmista conta a sua experiência: "De todo mau (רַע)(ra`) caminho desvio os pés, para observar a tua palavra" (Sl 119.101).

Portanto, aprendemos biblicamente que devemos nos precaver. O fascínio do mal está justamente no fato dele não se apresentar como mal a corações bastante inclinados aos seus apelos. Isto pode parecer paradoxal, mas não é: gosto do mal, ainda que não o denomine assim. Posso chamá-lo de maturidade, equilíbrio, prazer. Aprecio as suas promessas – muitas delas frutos de minha imaginação –, ainda que não ouse chamá-las de efeitos do mal ou da maldade.

Por isso, devemos nos manter distantes de homens que tais coisas praticam. As versões apresentadas são muito estimulantes e convincentes a corações predispostos. As fotografias do mal difundidas por seus proponentes são repletas de cores vivas e promessas estonteantes. Quem já não se sentiu enganado por uma propaganda a respeito de um lugar belíssimo? De uma casa para vender ou alugar? Por vezes, já hospedado em algum hotel localizei um folder com sua propaganda. Em geral, as fotos, ainda que verdadeiras (correspondem mesmo ao edifício), são tiradas de ângulos inusitados e num horário que favoreça as suas belezas. Além disso, quem as tira são profissionais. A Escritura nos exorta: "Não tenhas inveja dos homens malignos (רַע)(ra`), nem queiras estar com eles" (Pv 24.1). Estes são profissionais em suas seduções.

Não devemos maquinar o mal contra o nosso próximo explorando a sua *confiança*: "Não maquines o mal (רַע)(ra`) contra o teu próximo, pois habita junto de ti confiadamente" (Pv 3.29).

Quem se ocupa com o planejamento do mal, em geral o faz por pensar deter o poder para fazê-lo e controlar suas consequências. A possibilidade da prática do mal tende a dar ao ser humano o senso de impunidade e, por isso mesmo, de poder. No entanto, tal procedimento não ficará sem o juízo de Deus: "Ai daqueles que, no seu leito, imaginam a iniquidade e maquinam o mal (רַע)(ra`)! À luz da alva, o praticam, porque o poder está em suas mãos" (Mq 2.1).

Devemos nos empenhar pela prática do bem

> Aparta-te do mal (רַע)(ra`) e pratica o que é bom; procura a paz e empenha-te por alcançá-la (Sl 34.14).

A nossa luta tem duas frentes: fugir do mal e buscar o bem. Para isso, precisamos orar pedindo discernimento a Deus. Muitas vezes, o grupo que frequentamos ou temos aspirações de pertencer são mestres na prática do mal. É preciso discernimento: "Não permitas que meu coração se incline para o mal (רַע)(ra`), para a prática da perversidade na companhia de homens que são malfeitores; e não coma eu das suas iguarias" (Sl 141.4). É muito fácil aceitar, sem senso crítico, os valores de nosso nicho social. O mal muitas vezes é institucionalizado e estimulado em nossas conversas, onde, por vezes, há o contar "vantagem" que dá-nos a sensação de ser bem aceito e respeitado em nosso grupo.

Por outro lado, a Escritura nos ensina que amar o bem envolve um comprometimento com o que é justo. Quando assim procedemos, ainda que possamos circunstancialmente ser considerados socialmente estranhos, temos a certeza da companhia abençoadora do Senhor: "Buscai o bem e não o mal (רַע)(ra`), para que vivais; e, assim, o SENHOR, o Deus dos Exércitos, estará convosco, como dizeis. Aborrecei o mal (רַע)(ra`), e amai o bem (טוֹב)(tôb), e estabelecei na porta o juízo...." (Am 5.14-15).

A prática do mal traz consequências danosas

Direcionar os nossos pensamentos e comportamento para o mal trará como recompensa o mal que buscamos. A semeadura é voluntária, contudo, a colheita é obrigatória.

O sábio Salomão escreve: "Tão certo como a justiça conduz para a vida, assim o que segue o mal (רַע)(ra`), para a sua morte o faz" (Pv 11.19). "Quem procura o bem alcança favor, mas ao que corre atrás do mal (רַע)(ra`), este lhe sobrevirá" (Pv 11.27).[51] "Ai do perverso! Mal (רַע)(ra`) lhe irá; porque a sua paga será o que as suas próprias mãos fizeram" (Is 3.11).

Quando necessário, devemos nos dispor a sofrer o mal

Muitas vezes, os nossos atos de bondade serão retribuídos com maldade. Devemos entregar isso a Deus. Deus é justo e manifestará a sua justiça no seu tempo. Davi fala que os seus inimigos retribuíam as suas manifestações de solidariedade com atos maus: "Pagam-me o mal (רַע)(ra`) pelo bem, o que é desolação para a minha alma" (Sl 35.12). Outra vez: "Pagaram-me o bem com o mal (רַע)(ra`); o amor, com ódio" (Sl 109.5).

Quem retribui o bem com o mal sofrerá as consequências de seus atos: "Quanto àquele que paga o bem com o mal (רַע)(ra`), não se apartará o mal (רַע)(ra`) da sua casa" (Pv 17.13).

DEUS E OS SEUS SERVOS

Deus se agrada de nossos atos de bondade

O seu agrado se manifesta em sua proteção para conosco. Somos tidos como bem-aventurados quando assim procedemos: "Bem-aventurado o que acode ao necessitado; o SENHOR o livra no dia do mal (רַע)(ra`)" (Sl 41.1).

Davi relata a Saul que mesmo este tentando matá-lo a sua retribuição consistiu em ato de bondade, poupando a sua vida:

> Olha, pois, meu pai, vê aqui a orla do teu manto na minha mão. No fato de haver eu cortado a orla do teu manto sem te matar, reconhece e vê que não há em mim nem mal (רַע) (ra`) nem rebeldia, e não pequei contra ti, ainda que andas à caça da minha vida para ma tirares (1Sm 24.11).

Deus nos guarda e se vale do mal "provocado" e do mal "acomodado"

a) O Mal "Provocado"

O Senhor nos guarda do mal. Não buscamos espontaneamente nos expor ao mal, mas ninguém está livre do mal. Isto porque, além de maldades gratuitas das quais podemos ser alvos, colocamo-nos involuntariamente em situações perigosas no cumprimento de nossos deveres, inclusive de solidariedade e em nossa fidelidade a Deus. Devemos, portanto, confiar nele: "Pois, no dia da adversidade (רַע)(ra`), ele me ocultará no seu pavilhão; no recôndito do seu tabernáculo, me acolherá; elevar-me-á sobre uma rocha" (Sl 27.5). "Ainda que eu ande pelo vale da sombra da morte, não temerei mal (רַע) (ra`) nenhum, porque tu estás comigo; o teu bordão e o teu cajado me consolam" (Sl 23.4). "O SENHOR te guardará de todo mal (רַע)(ra`); guardará a tua alma" (Sl 121.7).[52]

Daí o Senhor ter ensinado aos seus discípulos a orar: "*livra-nos do mal*" (Mt 6.13). Deus pode livrar-nos totalmente do mal, estando pronto a atender as nossas orações conforme o seu propósito. Deus é o Senhor de todas as coisas; é a ele a quem nos dirigimos confiadamente, sabendo que os seus caminhos são eternos (Hc 3.6).[53] O Pai Nosso é a "Oração dos Filhos"[54] e dos "adoradores".[55] Somente os filhos de Deus o adoram em espírito e em verdade (Jo 4.24).

Os atos livres dos homens concorrem, de uma forma ou de outra, para a execução do plano de Deus. A Bíblia relata que apesar de os irmãos de José intentarem o mal contra ele, Deus realizou a sua obra por intermédio deste ato invejoso (Gn 45.5-8; 50.19,20; Sl 105.17). No Novo Testamento, vemos que os homens mataram a Jesus Cristo, entretanto, eles cumpriram livremente a vontade de Deus (At 4.27-28/2.23/ Jo 10.17-18).[56]

Mesmo que não possamos discernir o propósito de Deus em todos os atos da história, não podemos duvidar dele. Deus controla o seu povo e os seus inimigos; não há força neste mundo que não esteja sob o domínio de Deus.[57] O fato de não entendermos perfeitamente os propósitos de Deus é inteiramente natural. Afinal, Deus é o Senhor eterno e onisciente; os caminhos de Deus não são os nossos caminhos; a sua mente é inescrutável (Is 55.8,9; Rm 11.33).[58] "Nem sempre – escreve Hoekema – podemos ser capazes de discernir o propósito de Deus na história, mas que esse propósito existe é um aspecto primordial de nossa fé."[59]

Da mesma forma, pregando no Salmo 73, Lloyd-Jones, interpreta:

> Creio que muitos de nós entramos em dificuldade porque esquecemos que estamos tratando da mente de Deus, e que a mente de Deus não é como a nossa. Desejamos que tudo esteja pronto, enxuto e fácil, e achamos que nunca deveriam existir quaisquer problemas ou dificuldades. Mas, se há uma coisa ensinada com mais clareza do que qualquer outra na Bíblia, é que nunca ocorre deste modo em nossas relações com Deus. Os caminhos de Deus são inescrutáveis; sua mente é infinita e eterna, e seus propósitos são tão grandes que as nossas mentes pecaminosas não os podem entender. Portanto, quando um ser assim está tratando conosco, não nos deve causar surpresa se, às vezes, acontecem coisas que nos deixam perplexos.[60]

b) O mal "acomodado"

Analisando dentro de outra perspectiva, sabemos que Deus em sua misericórdia pode se valer de nossas aflições para nos educar e aperfeiçoar. Podemos caminhar um pouco mais: ainda que o nosso pecado seja sempre desagradável a Deus, ele, em sua soberania e bondade, pode usar de nosso extravio para nos corrigir e conduzir ao caminho proposto por ele. As nossas derrotas, pela bondade de Deus, podem se tornar em instrumentos de bênção de Deus para o nosso crescimento.

Parece que quando as coisas estão funcionando bem - estamos bem profissionalmente, a nossa família está em paz, estamos com saúde, aparentemente nada nos falta -, tendemos a nos acomodar e até mesmo tornar-nos relapsos em nossa vida espiritual. Quando estamos sendo bem sucedidos, os convites aparentemente fáceis do mundo se tornam ainda mais sedutores e convidativos. A vida por trás destas lentes sempre se nos mostra fascinante e altamente justificável.[61] Não é difícil para nós, dentro deste clima de fascínio, negociarmos nossos valores. Aí está o grande perigo para o cristão.[62]

Tratando sobre a oração do *Pai Nosso,* Calvino, comenta com discernimento:

> Nesta petição não pedimos para ser isentos de todas as tentações, pelas quais precisamos ser amplamente acordados, estimulados e agitados pelo temor de que, por causa de um longo descanso, nos tornemos preguiçosos e flexíveis. Além disso, o Senhor diariamente testa seus eleitos, instruindo-os através da ignomínia, pobreza, tribulação e outros tipos de cruzes. Mas este é o nosso pedido, que o Senhor, junto com as tentações, possa igualmente nos dar o caminho para longe delas, para que não sejamos conquistados e esmagados por elas; assim, estando firmes e robustos na força do Senhor, possamos constantemente nos colocar contra todos os poderes que nos combatem.[63]

Deus governa o mundo de tal maneira, que o seu povo, ainda que disciplinado pelos seus pecados, é encorajado a progredir em direção a Deus. Portanto, de alguma forma, Deus se vale do mal.[64] Muitas vezes, por intermédio deste ato, Deus evidencia a nossa arrogância e pequenez; a nossa pretensa autonomia e a realidade de nossa debilidade, fraqueza e dependência. O salmista, tendo experimentado isso, pôde dizer: "Alegra-nos por tantos dias quantos nos tens afligido, por tantos anos quantos suportamos a adversidade (רַע) (ra`)" (Sl 90.15).

No passar por aflições e adversidades, devemos procurar crescer espiritualmente, desenvolver a nossa confiança em Deus, sabendo que ele cuida de nós. É preciso buscar este discernimento para que não sejamos tentados a achar que fomos abandonados, que Deus é indiferente à nossa angústia. Esta aridez espiritual não é o fim. Deus há de manifestar o sereno ar de sua graça para conosco. Insistimos: ainda que não entendamos perfeitamente o tempo presente, as circunstâncias pelas quais estamos passando tribulações e angústias, podemos ter a certeza de que o Deus que dirige a história dirige também a nossa vida para o fim que ele tem em vista conforme registrado em sua Palavra.

Ainda que nem todas as coisas sejam boas em si, elas, por Deus, contribuem para o nosso bem maior, o "bem transcendente"[65] que Deus tem em vista para nós, que consiste em nossa eterna comunhão com ele em semelhança com o seu Filho (Rm 8.28-29). Ao final, na glória, poderemos entender empiricamente, o que hoje, em meio a angústias, injustiças e incertezas, vislumbramos apenas pela fé: "Porque para mim tenho por certo que os sofrimentos do tempo presente não podem ser comparados com a glória a ser revelada em nós" (Rm 8.18).

Ao mesmo tempo, devemos estar dispostos, esforçarmo-nos por fazer o bem ao nosso próximo, sabendo que isso é agradável diante de Deus. Quanto às maldades que venham a nos fazer, entreguemos isso a Deus. Ele é o Senhor e quem nos abriga em sua casa. Ele julga retamente. Confiemos em sua misericórdia. Repito: não entendemos perfeitamente as particularidades da história, contudo, temos a certeza inabalável, altamente estimulante e confortadora. Deus faz com que todas as coisas cooperem para o nosso bem; para o bem daqueles que o amam.

No entanto, o ponto focal deste salmo é que aqueles que desejam ter comunhão com Deus não devem fazer mal ao seu próximo. Se preciso for, soframos o mal e, deixemos isso com Deus, o reto juiz, o nosso Pai benigno e gracioso hospedeiro.

4

DESPREZANDO O RÉPROBO

"*O que, a seus olhos, tem por* *desprezível* (בּזה) (bazah) *ao* *réprobo* (מאס) (ma'as)" (Sl 15.4).

Uma das tarefas difíceis de fazer e mais ainda de cumprir é o estabelecimento de prioridades, ainda mais se a linha que as separam é tênue. Digo que é menos difícil estabelecer as prioridades do que ser fiel ao que categorizamos, porque a nossa hierarquia de valores normalmente é feita abstratamente, idealmente, sem as terríveis escolhas que envolvem casos concretos, com as suas implicações nem sempre desejáveis, as quais, ainda que parcialmente visualizadas, não podem esgotar a gama enorme de sentimentos que acompanharão as escolhas.

Não é estranho nos surpreendermos com os nossos sentimentos e suas manifestações. De vez em quando, falamos para nós mesmos: "não imaginava que fosse sentir isso. Ou, ainda, pensei que se um dia isso acontecesse comigo reagiria desta ou daquela forma, no entanto, me espantei comigo mesmo; nunca pensei que agiria assim...."

Algo muito natural ao ser humano é o sentimento de liberdade. Gostamos de nos ver livres, de nos sentir assim. *Muitas vezes, no entanto, a liberdade que costumamos desejar é justamente para nos parecer com o outro.* De repente, tornamo-nos um grupo formal de livres, autônomos e idênticos.

A *mídia* e, agora com a Copa do Mundo de futebol,[1] percebe-se entre os atletas com cabelos exóticos e, curiosamente, grande parte deles exibindo algum tipo ou muitos tipos de tatuagens. Isto tudo, certamente, estimula a prática semelhante por parte de nossos jovens ou daqueles que querem se parecer assim, ainda que esta fase de sua existência já tenha sido ultrapassada há algumas décadas.

Lloyd-Jones capta bem a trágica questão da falsa liberdade ao dizer: "O homem do mundo se jacta da sua liberdade e fala sobre 'livre pensamento'. A suprema realização do diabo consiste em persuadir o homem de que, justamente naquilo em que ele está mais estonteado e escravizado, é mais livre".[2]

De fato, a ilusão que o pecado provoca nos faz pensar que somos livres e felizes e que as consequências mais imediatamente percebidas de nossos pecados são preços baixos dentro do custo-benefício de nossa satisfação.

O que fascina os nossos olhos, também domina o nosso coração e, em geral, cativa nossos desejos. É uma tentação comum nos sentir sábios e puros aos nossos próprios olhos. A Escritura nos adverte quanto ao perigo deste fascínio (Pv

26.5,12,16; 30.12).[3] Isto é ainda mais tentador para quem é bem sucedido em seus empreendimentos materiais (Pv 28.11).[4] "O olho é um bom indicador dos pensamentos íntimos do homem".[5]

O salmista diz que aquele que deseja habitar na Casa do Senhor não tem como admirável o comportamento ímpio, antes, sendo ele bem sucedido ou não, é-lhe desprezível: "*....tem por desprezível* (בָּזֹה) (bazah) *ao réprobo* (נִמְאָס) (ma'as)" (Sl 15.4).

Ele despreza o que é desprezível pela sua própria conduta. Temos aqui uma atitude consistente. Não há neutralidade. Ele não receia se posicionar diante dos acontecimentos. Ele sabe avaliar todas as coisas, honrando o que deve ser honrado e desprezado o que é desprezível. O comportamento réprobo deve ser rejeitado. Se este homem deseja habitar na casa do Senhor, em sua companhia, tributando-lhe honra e louvor, não pode honrar o desprezível, aquilo que afronta a Deus e à sua Palavra.

Vamos ao assunto:

OS RÉPROBOS

A palavra traduzida por *réprobo*[6], que neste texto aponta para aquele que é rejeitado pelo Senhor, tem o sentido de *desapegar* (Sl 36.4),[7] *rejeitar* (Sl 53.5; 78.67; 89.38; Jr 7.29),[8] *desaparecer* (Sl 58.7),[9] *aborrecer* (Sl 78.59),[10] *refugar* (Jr 6.30).[11] A ideia básica da palavra é a de não querer ter nenhum tipo de relação.[12] Em outras palavras, o réprobo, que é em si mesmo repulsivo, não deve se constituir em modelo, antes, o que ele representa deve ser rejeitado.

Curiosamente, as Escrituras nos mostram que os homens tendem a rejeitar, terem desprezo por outras coisas, não pelos réprobos. Calvino comenta de forma interrogativa, com acerto: "O homem que vê o perverso sendo honrado, e pelos aplausos do mundo se torna ainda mais obstinado em sua perversidade, e que de bom grado dá seu consentimento ou aprovação, com isso não estará enaltecendo o vício, em vez da autoridade, e o envolvendo de soberano poder?".[13]

Por vezes, em um momento de insatisfação ou desespero, não somos tentados a tomar como exemplo tais homens? Dizemos para nós mesmos: "Quem não vale nada é que se dá bem". "As pessoas gostam de quem não presta". "Tentei ser honesto e me dei mal. Da próxima vez já sei como vou agir...".

Antes de responder a esta pergunta, deve ser dito que eles são assim chamados devido ao seu comportamento. Não há nada neles como cor, raça ou condição financeira e social que os tornem desprezíveis, antes o que fazem e, portanto, representam.

a) Os réprobos rejeitam a aliança de Deus

Quando Deus descreve as causas do cativeiro do Reino Norte, demonstra que o motivo fundamental está relacionado à rejeição da aliança de Deus: "Rejeitaram (מָאַס) (ma'as) os estatutos e a aliança que fizera com seus pais, como também as suas advertências com que protestara contra eles; seguiram os ídolos, e se tornaram vãos, e seguiram as nações que estavam em derredor deles, das quais o SENHOR lhes havia ordenado que não as imitassem" (2Rs 17.15).[14]

Notemos que a rejeição da aliança trouxe consigo uma série de comportamentos ímpios, seguindo de forma pecaminosa os princípios da ética pagã.

b) Os réprobos desprezam a Deus

O Povo pede um Rei

Quando os judeus, não percebendo a importância de sua diferença entre todos os povos da terra, pedem um rei, rejeitando assim o governo de Samuel, Deus diz claramente que eles rejeitaram ao Senhor: "Disse o SENHOR a Samuel: Atende à voz do povo em tudo quanto te diz, pois não te rejeitou (מָאַס) (ma'as) a ti, mas[15] a mim, para eu não reinar sobre ele" (1Sm 8.7/1Sm 10.19).

Rejeitam o ungido do Senhor

Curiosamente esta palavra foi usada para descrever profeticamente o desprezo dos judeus por Jesus Cristo. Assim lemos: "A pedra que os construtores rejeitaram (מָאַס) (ma'as), essa veio a ser a principal pedra, angular" (Sl 118.22).

Jesus Cristo aplica este texto a si mesmo e aos judeus rebeldes (Mt 21.42; Mc 12.10; Lc 20.17).[16] Pedro acusa os judeus deste feito: "Este Jesus é pedra rejeitada por vós, os construtores, a qual se tornou a pedra angular" (At 4.11).

Posteriormente, Pedro volta a este tema:

> Pois isso está na Escritura: Eis que ponho em Sião uma pedra angular, eleita e preciosa; e quem nela crer não será, de modo algum, envergonhado. Para vós outros, portanto,

> os que credes, é a preciosidade; mas, para os descrentes, A pedra que os construtores rejeitaram, essa veio a ser a principal pedra, angular e: Pedra de tropeço e rocha de ofensa. São estes os que tropeçam na palavra, sendo desobedientes, para o que também foram postos (1Pe 2.6-8).

c) Os réprobos desprezam a sua Palavra

Saul

Samuel, advertindo a Saul pela sua desobediência a Deus,[17] afirma enfaticamente: "Porque a rebelião é como o pecado de feitiçaria, e a obstinação é como a idolatria e culto a ídolos do lar. Visto que rejeitaste (מָאַס) (ma'as) a palavra do SENHOR, ele também te rejeitou (מָאַס) (ma'as) a ti, para que não sejas rei" (1Sm 15.23).

> Porém Samuel disse a Saul: Não tornarei contigo; visto que rejeitaste (מָאַס) (ma'as) a palavra do SENHOR, já ele te rejeitou (מָאַס) (ma'as) a ti, para que não sejas rei sobre Israel (1Sm 15.26/1Sm 16.1).

Sacerdotes

No Século VIII a.C. (Os 1.1), *Oséias* profetiza contra o pecado do Reino Norte, desafiando o povo a torna-se arrependido para Deus. A sua mensagem não foi ouvida. Deus por seu intermédio acusa os sacerdotes de não conduzirem o povo corretamente: "O meu povo está sendo destruído, porque lhe falta o conhecimento (דַּעַת) (da'ath). Porque tu, sacerdote, rejeitaste (מָאַס) (ma'as) o conhecimento (דַּעַת)[18] (da'ath), também eu te rejeitarei (מָאַס) (ma'as), para que não sejas sacerdote diante de mim; visto que te esqueceste da lei do teu Deus, também eu me esquecerei de teus filhos" (Os 4.6). (Sl 106.24; Is 5.24; Am 2.4).

d) O ímpio não se despega do mal

Pelo fato do ímpio não temer a Deus (Sl 36.1), orgulhar-se de sua perversidade, achando-se protegido em suas atitudes iníquas (Sl 36.2), planeja a perversidade; o mal é o seu companheiro; ele não o despreza, antes, o mal parece ser a sua rotina de dia e de noite: "No seu leito, maquina a perversidade, detém-se em caminho que não é bom, não se despega (מָאַס) (ma'as) do mal" (Sl 36.4).

e) O culto hipócrita é rejeitado por Deus

Por intermédio de *Amós,* contemporâneo de Oséias, Deus também adverte ao Reino do Norte, aludindo ao culto mecânico e hipócrita que supostamente lhe era oferecido. Assim como o povo desprezava a obediência a Deus, Deus despreza as suas festas supostamente dirigidas a ele: "Aborreço, desprezo (מָאַס) (ma'as) as vossas festas e com as vossas assembleias solenes não tenho nenhum prazer" (Am 5.21).

f) A rejeição de Deus e de sua Palavra é um ato insano com trágicas consequências

> O que rejeita a disciplina menospreza (מָאַס) (ma'as) a sua alma, porém o que atende à repreensão adquire entendimento (Pv 15.32).

> Pelo que assim diz o Santo de Israel: Visto que rejeitais (מָאַס) (ma'as) esta palavra, confiais na opressão e na perversidade e sobre isso vos estribais, portanto, esta maldade vos será como a brecha de um muro alto, que, formando uma barriga, está prestes a cair, e cuja queda vem de repente, num momento Is 30.12-13).

O DESPREZO

> O que, a seus olhos, tem por desprezível (בָּזָה) (bazah) ao réprobo (מָאַס) (ma'as) (Sl 15.4).

O sentido da palavra *desprezível* é o de atribuir pouco valor a alguém ou a alguma coisa, subestimar.[19] A palavra não é negativa em si mesma, no sentido de estar pecando quem se porta desta forma. O que desprezamos é que vai evidenciar se estamos certos ou errados. A Escritura, por exemplo, nos apresenta esta atitude praticada com erros e acertos.

Esaú desprezou o seu direito de primogenitura

Esaú considerou mais importante um prato de lentilha do que o privilégio de ser o filho primogênito de Jacó:

> Deu, pois, Jacó a Esaú pão e o cozinhado de lentilhas; ele comeu e bebeu, levantou-se e saiu. Assim, desprezou (בָּזָה) (bazah) Esaú o seu direito de primogenitura (Gn 25.34).

Golias desprezou a juventude de Davi

"Olhando o filisteu e vendo a Davi, o desprezou (בָּזָה) (bazah), porquanto era moço ruivo e de boa aparência" (1Sm 17.42). Ou seja: dentro da pequena sensibilidade do gigante Golias, o pequeno Davi não era grande o suficiente para enfrentá-lo. Este erro de cálculo custou-lhe uma breve, porém terrível dor de cabeça, culminando com sua grande e definitiva queda.

Mical desprezou a Davi

Mical, esposa de Davi, talvez movida por ciúme, despreza a Davi quando o vê em júbilo, pulando e dançando, trazendo de volta a arca da aliança para Jerusalém: "Ao entrar a arca do SENHOR na Cidade de Davi, Mical, filha de Saul, estava olhando pela janela e, vendo ao rei Davi, que ia saltando (פָּזַז) (pazaz)[20] e dançando (כָּרַר) (karar) ("rodopiar)[21] diante do SENHOR, o desprezou (בָּזָה) (bazah) no seu coração" (2Sm 6.16).

O Pecado é uma forma de menosprezo para com Deus e a sua Palavra

É nestes termos que Natã fala com Davi após este ter promovido a morte de Urias para poder ficar com sua mulher: "Por que, pois, desprezaste (בָּזָה) (bazah) a palavra do SENHOR, fazendo o que era mal perante ele? A Urias, o heteu, feriste à espada; e a sua mulher tomaste por mulher, depois de o matar com a espada dos filhos de Amom. Agora, pois, não se apartará a espada jamais da tua casa, porquanto me desprezaste (בָּזָה) (bazah) e tomaste a mulher de Urias, o heteu, para ser tua mulher" (2Sm 12.9-10).

O Messias, conforme profetiza *Isaías*, seria intensamente desprezado de forma solitária:[22] "Era desprezado (בּזה) (bazah) e o mais rejeitado entre os homens; homem de dores e que sabe o que é padecer; e, como um de quem os homens escondem o rosto, era desprezado (בּזה) (bazah), e dele não fizemos caso" (Is 53.3).

Contrariamente, a obediência é uma evidência de nosso apego à Palavra e temor ao Senhor: "O que anda na retidão teme ao SENHOR, mas o que anda em caminhos tortuosos, esse o despreza (בּזה) (bazah)" (Pv 14.2).

A nossa aflição e o desprezo por parte dos ímpios não devem servir de pretexto para o nosso distanciamento da Palavra: "Pequeno sou e desprezado (בּזה) (bazah); contudo, não me esqueço dos teus preceitos" (Sl 119.141).

Os maus sacerdotes desprezam o culto a Deus

Em situação de profunda rebeldia para com Deus os sacerdotes induziam o povo a considerar o culto a Deus como algo destituído de importância:

> O filho honra o pai, e o servo, ao seu senhor. Se eu sou pai, onde está a minha honra? E, se eu sou senhor, onde está o respeito para comigo? -- diz o SENHOR dos Exércitos a vós outros, ó sacerdotes que desprezais (בּזה) (bazah) o meu nome. Vós dizeis: Em que desprezamos (בּזה) (bazah) nós o teu nome? 7Ofereceis sobre o meu altar pão imundo e ainda perguntais: Em que te havemos profanado? Nisto, que pensais: A mesa do SENHOR é desprezível (בּזה) (bazah) (Ml 1.6-7).

> Mas vós o profanais, quando dizeis: A mesa do SENHOR é imunda, e o que nela se oferece, isto é, a sua comida, é desprezível (בּזה) (bazah) (Ml 1.12).

Deus em Sua santa e justa retribuição os fez desprezíveis: "Por isso, também eu vos fiz desprezíveis (בּזה) (bazah) e indignos diante de todo o povo, visto que não guardastes os meus caminhos e vos mostrastes parciais no aplicardes a lei" (Ml 2.9). Deus é Santo e o seu culto é santo. Desprezíveis são aqueles que menosprezam a Deus e o culto por ele mesmo estabelecido.

DEUS E O SEU POVO

Deus não Despreza o íntegro

Bildade, companheiro de Jó, ainda que partindo de uma premissa errada quanto ao pecado de Jó, declara de forma correta, revelando uma teologia genuína: "Eis que Deus não rejeita (מאס) (ma'as) ao íntegro, nem toma pela mão os malfeitores" (Jó 8.20).

A Palavra de Deus é bastante clara ao declarar o que Deus deseja de nós e, ao mesmo tempo, como Deus se porta em relação aos seus filhos, ainda que estes possam passar por aflições. Deus nunca nos desampara.

Deus não nos despreza em nossa dor

Num salmo messiânico, o salmista profeticamente fala a respeito das dores do Messias: "Pois não desprezou (בּזה) (bazah), nem abominou a dor do aflito, nem ocultou dele o rosto, mas o ouviu, quando lhe gritou por socorro" (Sl 22.24).

Quando somos desprezados por nossa fidelidade a Deus, podemos ter a certeza de que Deus não nos abandona, antes, nos acolhe, nos tomando para si. "Porque o SENHOR responde aos necessitados e não desprezа (בָּזָה) (bazah) os seus prisioneiros" (Sl 69.33).

Deus não rejeita o nosso culto quando caracterizado por um coração sinceramente contrito

O padrão de aceitação do nosso culto por parte de Deus está relacionado com a nossa sincera obediência aos seus preceitos, marcado por um coração contrito.

Davi tem consciência especial sobre isso. Por isso, escreveu: "Sacrifícios agradáveis a Deus são o espírito quebrantado; coração compungido e contrito, não o desprezarás (בָּזָה) (bazah), ó Deus" (Sl 51.17).

Ainda que aspectos externos do culto sejam relevantes, eles não podem se tornar em algo destituído de sincero compromisso de obediência e reverência para com Deus. *Não devemos usar de artifícios para criar supostos sentimentos no adorador*. A Escritura nos fala de princípios, não de artifícios arquitetônicos ou musicais. As nossas práticas devem ser sancionadas pela Palavra.[23] O culto deve ser prestado a Deus em espírito, conforme os preceitos da Palavra. O culto cristão deverá ser sempre na liberdade do Espírito, dentro dos parâmetros da Palavra e na integridade de nosso ser[24] (Jo 4.23-24; Fp 3.3).[25] Por causa do nosso pecado, apresentamos a Deus um culto imperfeito, contudo, *não podemos oferecer-lhe um culto distante da Palavra e da inteireza de nosso ser.*

Um culto imperfeito deve ser distinto de um culto apóstata, alheio à plenitude da revelação bíblica. Não existe culto "em verdade" divorciado das Escrituras, a qual prescreve a forma, o conteúdo e a integridade de nossa adoração a Deus.

Deus não despreza a oração dos desamparados

Deus é sempre o nosso refúgio. Especialmente nos momentos de dor e sensação de desamparo, sem termos a quem recorrer, a nossa oração adquire um sentido de maior fervor e dependência. O salmista sabe disso. Esta é a sua experiência imediata: "Atendeu à oração do desamparado e não lhe desdenhou (בּזה) (bazah) as preces" (Sl 102.17).

Deus não menospreza a nossa oração; ele não faz acordo conosco. Se assim fosse, o que poderíamos oferecer-lhe de relevante? De que Deus precisa ou carece?

Ele, no entanto, olha para a nossa dor, e não faz pouco caso de nossa aflição, antes nos atende conforme o seu propósito santo e amoroso.

Não devemos rejeitar a disciplina do Senhor

> Bem-aventurado é o homem a quem Deus disciplina; não desprezes (מאס) (ma'as), pois, a disciplina do Todo-Poderoso (Jó 5.17/Pv 3.11; 15.32).

Devemos ter a confiança de que se buscarmos a Deus arrependidos de nossos pecados, confiantes em sua misericórdia, ele não nos desamparará. A disciplina de Deus deve ser olhada como uma manifestação de seu amor e cuidado para com o seu povo.

Os que habitam na casa do Senhor devem rejeitar, não ao Senhor da glória, mas aos réprobos, aqueles que são rejeitados pelo próprio Deus devido às suas práticas iníquas. Aqui, como vimos, não há espaço para neutralidade. Aqueles que desejam morar na casa do Senhor têm de tomar partido.[26] Não pensemos que podemos agradar a Deus nos agradando daquilo que ele em sua santidade rejeita.

CONCLUSÃO

Temos de honrar o que Deus honra e rejeitar o que Deus rejeita. Não podemos nos alegrar com aqueles que desonram a Deus e ao seu nome, para que possamos dizer como o salmista:

> Eles se rebelam insidiosamente contra ti e como teus inimigos falam malícia. Não aborreço eu, SENHOR, os que te aborrecem? E não abomino os que contra ti se levantam? Aborreço-os com ódio consumado; para mim são inimigos de fato (Sl 139.20-22).

Devemos enfatizar que o desprezo ao réprobo deve ser derivado do fato de que o réprobo rejeita a Deus e Deus mesmo se desagrada dele, rejeitando-o:

> Como ao sonho, quando se acorda, assim, ó Senhor, ao despertares, <u>desprezarás</u> (בּזה) (bazah) a imagem deles (Sl 73.20).

Deve ser dito, contudo, que este menosprezo não deve diminuir ou neutralizar o nosso propósito de evangelizá-los. Eles também são imagem de Deus, corrompida, é verdade, contudo, ainda são imagem de Deus. Ninguém está além da salvação. Assim como nós, eles também podem ser alcançados pela graça perdoadora e remidora de Deus.

O que não devemos fazer é tomar o seu comportamento como modelo de vida e de nossas aspirações.

5

HONRANDO OS QUE TEMEM A DEUS

.... *Honra* (כִּבֵּד) (kabed) *aos que temem* (יָרֵא) (yare') *ao SENHOR* (Sl 15.4)

A raiz do verbo hebraico *honrar* é "ser pesado" (2Sm 13.25; 2Cr 10.4,10,11, 14; Jó 6.3; 33.7; Sl 32.4; 38.5 [duas vezes]; Is 24.20). O termo pode ser usado de modo positivo e negativo, conforme o contexto. No sentido figurado, temos vários empregos nas páginas do AT.: "*Ser importante*" e, por extensão, *honrar* (Ex 20.12; Pv 3.9; 13.18; 27.18); *grande*, no sentido de pesada, intensa ou severa (Gn 12.10; 1Sm 4.18; 2Sm 14.26; Ne 5.18); *duramente*, no sentido de pesadamente (1Sm 5.11/Sl 32.4), *carregada*, no sentido de abundância (Pv 8.24); *ser honrado* (Jó 14.21), *fama* (Ez 27.25), *agravar* (Gn 18.20; 1Sm 31.3), com sentido de intensificar, piorar; *renhida* (Jz 20.34), no sentido de intensa, dura; *pesado*, no sentido de difícil, extenuante (Nm 11.14), *glória* (Is 66.5; Dn 11.38 [duas vezes]; Ml 1.6); *glorificar* (Sl 22.23; 50.15,23; 86.9,12; 91.15), vangloriar-se (Pv 12.9); multiplicar-se (Na 3.15).[1]

Honrar é o oposto de desprezar. O salmista diz que aqueles que habitam no monte do Senhor desprezam o réprobo, mas dignificam, honram, reconhecem o valor daquele que teme ao Senhor. Há um comportamento coerente: tais pessoas merecem ser respeitadas.

A honra e a glória pertencem exclusivamente a Deus. Ele é o Senhor da glória (Sl 24.7-10).[2] A sua glória está manifesta na criação (Sl 97.6)[3] e, por isso, devemos tributar-lhe glória e louvor (Sl 29.1-3,9),[4] havendo nisso uma implicação missionária, visto que a glória de Deus deve ser anunciada entre as nações (Sl 96.3;145.9-12).[5]

No entanto, ao homem foi compartilhada esta glória que passa a fazer parte de sua essência como atribuição de Deus, seu Criador. Exulta o salmista: "Fizeste-o, no entanto, por um pouco, menor do que Deus e de glória (כָּבוֹד) (kabod) e de honra o coroaste" (Sl 8.6). Esta dimensão, digamos, metafísica do homem, tem sérias e importantes implicações teológicas, antropológicas e sociai. O homem, como imagem e semelhança de Deus, desfruta de aspectos da glória do seu Criador. Ainda que distante de Deus, o homem continua sendo esta imagem, ainda que desfigurada.

Schaeffer (1912-1984) comenta com acerto:

> Estou convencido de que uma das grandes fraquezas na pregação evangélica nos últimos anos é que nós perdemos

> de vista o fato bíblico de que o homem é maravilhoso. (...) O homem está realmente perdido, mas isso não significa que ele não é nada. Nós temos que resistir ao humanismo, mas classificar o homem como um zero não é o caminho certo para resistir a ele. Você pode enfatizar que o homem está totalmente perdido e ainda ter a resposta bíblica de que o homem é realmente grande. (...) Do ponto de vista bíblico, o homem está perdido, mas é grande.[6]

As Escrituras mencionam alguns homens que eram honrados por sua integridade e piedade. Citemos dois casos. A respeito de Samuel é dito: "Nesta cidade há um homem de Deus, e é muito estimado (כָּבֵד) (kabed); tudo quanto ele diz sucede...." (1Sm 9.6). Davi, inspirado por Deus escreve: "Ó homens, até quando tornareis a minha glória (כָּבוֹד) (kabod) em vexame, e amareis a vaidade, e buscareis a mentira?" (Sl 4.2/1Cr 29.28). As Escrituras também nos ensinam que devemos honrar aos nosso pais (Ex 20.12; Dt 5.16).

Creio que aqui cabe uma palavra de esclarecimento. Por vezes, no receio de não envaidecer pessoas, confundimos graça com mérito. Explico: a salvação é pela graça, no entanto, as boas obras que praticamos devem ser consideradas frutos da graça de Deus em nós, resultantes do sábio uso dos recursos que Deus nos concedeu.

Quando procuramos um melhor emprego, a ascensão profissional e social, o fazemos recorrendo aos méritos que julgamos possuir, ainda que resultantes da graça. Se não for assim, a grande virtude seria o demérito, atribuindo todas as coisas à graça. Isto seria um estímulo à ociosidade e um desprezo para com a graça abundante de Deus em nossa vida (1Co 15.10).

Se vamos ter muito critério em pronunciar um elogio a fim de não suscitar no irmão pecador um coração altivo, tenhamos também cautela em criticar para não suscitar no mesmo irmão um coração humilhado e pesaroso, decorrente de nossa altivez, proporcionada, talvez, por uma "intenção piedosa" aos nossos olhos, é claro.

O senso de valor ensinado na Escritura é bastante distinto e conflitante com o modo costumeiro de olharmos as pessoas e atribuir-lhes valor. O Salmo 15 não diz que devem ser honradas simplesmente as pessoas de determinada etnia, sexo ou cor; ricas, pobres, poderosas e influentes, mas as que temem ao Senhor. O critério não é étnico, de gênero, social, político ou financeiro, antes, espiritual e moral. Observe a instrução divina: "Não temas, quando alguém se enriquecer, quando avultar a glória (כָּבֵד) (kabed) de sua casa; pois, em morrendo, nada levará consigo, a sua glória (כָּבֵד) (kabed) não o acompanhará" (Sl 49.16-17).

Aquilo que respeitamos e reverenciamos revela os nossos critérios, valores e princípios. O nosso coração se ocupa com o que nos parece relevante. Digam-me quais são as suas referências que eu lhes direi quais são alguns de seus valores.

É interessante notar o contraste feito pelo salmista entre o desprezar o réprobo e o honrar os que temem a Deus. Os réprobos são desprezados pela sua rejeição a Deus e os que temem a Deus são honrados pela sua postura diante de Deus, com todas as implicações decorrentes.

Mas, o que significa isso? Por que devemos honrar tais pessoas? O que significa temer a Deus?

Biblicamente podemos observar que esta admiração reverente para com Deus é resultado da consciência da sua grandeza, supremacia e santidade. Este sentimento nos identifica e se materializa em nossos atos. "Esse temor a Deus estimula dentro do crente as reações concomitantes de fascinação, adoração, confiança e culto, mas também um senso de medo e ansiedade. O termo é um elemento essencial na adoração a Deus e no serviço prestado a ele".[7]

O TEMOR A DEUS E A PALAVRA

> Nada há de melhor, para desenvolver esse santo temor, do que o reconhecimento da soberana majestade de Deus – A.W. Pink.[8]

O aprendizado do temor a Deus começa pela leitura da Palavra, o refletir sobre a natureza de Deus, seus mandamentos e atos na história.

Moisés, preparando o povo para entrar na terra prometida, incumbiu os sacerdotes de organizarem a *Festa dos Tabernáculos*, uma das três solenidades obrigatórias a todos os judeus.[9] Nesta solenidade, o povo apresentava ofertas a Deus como reconhecimento de suas bênçãos (Dt 16.17):[10]

> Quando todo o Israel vier a comparecer perante o SENHOR, teu Deus, no lugar que este escolher, lerás esta lei

> diante de todo o Israel. Ajuntai o povo, os homens, as mulheres, os meninos e o estrangeiro que está dentro da vossa cidade, para que ouçam, e aprendam, e temam (יָרֵא) (yare') o SENHOR, vosso Deus, e cuidem de cumprir todas as palavras desta lei; para que seus filhos que não a souberem ouçam e aprendam a temer (יָרֵא) (yare') o SENHOR, vosso Deus, todos os dias que viverdes sobre a terra à qual ides, passando o Jordão, para a possuir (Dt 31.11-13).

O temor do Senhor – o senso de sua grandeza e majestade – deve estar diante de nós, de nossos desejos, projetos e atitudes. Este deve ser o princípio orientador de nossa vida. Calvino faz uma analogia pertinente e esclarecedora: "Visto que os olhos são, por assim dizer, os guias e condutores do homem nesta vida, e por sua influência os demais sentidos se movem de um lado para o outro, portanto dizer que os homens têm o temor de Deus diante de seus olhos significa que ele regula suas vidas e, exibindo-se-lhes de todos os lados para onde se volvam, serve de freio a restringir seus apetites e paixões".[11]

Por meio deste princípio orientador e regulador, temos os nossos olhos abertos para as maravilhas de Deus. Longe de ser algo inibidor, é libertador de uma visão míope e cativa de sua percepção enferma. "Temer a Deus não é o fim da sabedoria, mas o começo. Uma pessoa que teme a Deus pode se abrir para as alturas vastas e vertiginosas do conhecimento. Aqueles que 'praticam' esse temor de Deus podem ter um 'bom entendimento' de tudo".[12]

A educação bíblica é magnificamente completa, envolvendo o ensino sobre a santidade e a misericórdia de Deus. Mostra-nos o Deus absoluto e o quanto carecemos dele. Portanto, biblicamente, devemos caminhar dentro desta perspectiva: *Deus é santo/majestoso*, levando-nos a reverenciá-lo com santo temor. Mas também, *Deus é misericordioso*, portanto, devemos amá-lo com toda a intensidade de nossa existência. A santidade nos fala de sua justiça. A misericórdia nos conduz a refletir sobre o seu incomensurável amor que fez com que ele se desse a conhecer, consumando a sua revelação em Jesus Cristo, o Deus encarnado (Hb 1.1-4).

A eliminação de uma dessas duas percepções do ser de Deus nos conduziria a uma compreensão equivocada de quem é Deus e, consequentemente, de nosso relacionamento com ele. Uma teologia equivocada promove uma fé distorcida. A genuína vida cristã parte sempre de uma compreensão adequada do Deus infinito e pessoal: o Deus que se revela.

O nosso amor a Deus começa pelo conhecimento de sua majestade. Downs enfatiza corretamente: "O amor por Deus deve estar enraizado apropriadamente no solo de nosso temor de Deus".[13] Portanto, devemos não simplesmente temer o castigo de Deus, antes temer pecar contra Deus, o nosso santo e majestoso Senhor.

O salmista Davi, depois de grande prova e livramento, escreve: "Vinde, filhos, e escutai-me; eu vos ensinarei (למד) (lâmad)[14] o temor (יִרְאָה) (yir'ah) do SENHOR" (Sl 34.11). Restaurado por Deus após ter pecado, confessado e se arrependido, Davi se propõe a ensinar o caminho de Deus: "Então, ensinarei (למד) (lâmad) aos transgressores os teus caminhos, e os pecadores se converterão a ti" (Sl 51.13).

O ensino sobre Deus, envolve, portanto, a sua justiça e misericórdia perdoadora.

O TEMOR A DEUS COMO PRINCÍPIO DE VIDA

O temor de Deus é algo essencial à vida cristã. A Palavra nos mostra em diversas passagens como este temor, longe de ser algo que nos afaste de Deus, causando uma ansiedade paralisante,[15] é resultado do conhecimento de Deus, do seu amor, bondade, misericórdia, santidade, justiça e glória.[16] O temor do Senhor é uma relação de graça, por meio da qual podemos conhecer a Deus, relacionarmo-nos com ele, tendo alegria e gratidão por temê-lo. O amor como compromisso, estimula-nos a servir a Deus em alegre obediência. "A graça e o favor de Deus não abolem a solenidade do trato".[17] O nosso santo temor a Deus se manifesta em amor obediente.[18]

O temor de Deus envolve o senso de nossa pequenez e da sua maravilhosa graça. O temor de Deus é um encantamento com a sua majestade e a consciência de nosso pecado e carência de sua misericórdia. Aliás, o Senhor é quem nos ensina a temê-lo e reverenciá-lo. Estou convencido que o temor de Deus é um aprendizado de amor que se manifesta em admiração, obediência e culto[19] tendo implicações em todas as áreas de nossa vida. Temer a Deus deve ser o princípio orientador de nossa vida e decisões. Temer a Deus é graça! Por isso, como veremos, são bem-aventurados aqueles que temem ao Senhor. Analisemos agora alguns aspectos deste assunto tão fascinante.

Negativamente

Os homens perversos, por não terem conhecimento de Deus, em seus atos revelam não temer a Deus: "....Há no coração do ímpio a voz da transgressão; não há temor (פַּחַד) (pahad)[20] de Deus diante de seus olhos" (Sl 36.1).

A ausência do temor de Deus contribui para a perversidade, proporcionando a falsa impressão ao homem de sua independência, propiciando, portanto, a manifestação de sua perversidade, visto que se considera além de qualquer juízo. Os seus olhos se constituem no critério final de percepção da realidade e, por isso mesmo, de padrão de seu comportamento.

Na parábola contada por Jesus, temos uma ilustração de tal pensamento e comportamento por parte do juiz iníquo que pouco se importava com a essência das questões a serem julgadas, antes, visava sempre ao seu interesse e comodidade. O centro do direito era a sua pessoa e as suas circunstâncias:

> Havia em certa cidade um juiz que não temia (φοβέω) a Deus, nem respeitava homem algum. Havia também, naquela mesma cidade, uma viúva que vinha ter com ele, dizendo: Julga a minha causa contra o meu adversário. Ele, por algum tempo, não a quis atender; mas, depois, disse consigo: Bem que eu não temo (φοβέω) a Deus, nem respeito a homem algum (Lc 18.2-4).

No entanto, quem assim age, colherá os frutos de seus atos: "…. o perverso não irá bem, nem prolongará os seus dias; será como a sombra, visto que não teme (יָרֵא) (yare') diante de Deus" (Ec 8.13).

Positivamente

a) Devemos pedir ao Senhor que nos ensine a temê-lo

Por mais paradoxal que possa parecer, o temor do Senhor é um aprendizado de amor. Por isso, diante de tantos poderes que nos angustiam e ameaçam, o servo de Deus deve pedir ao Senhor que o ensine a temê-lo. Este santo temor é um aprendizado da fé resultante do maior conhecimento de Deus. O nosso caminhar e as veredas que seguimos revelam a nossa lealdade ao Senhor a quem tememos em amor: "Ensina-me (יָרָה) (yarah)[21] SENHOR, o teu caminho, e andarei na tua verdade; dispõe-me o coração (לֵבָב) (lêbâb) para só temer (יָרֵא) (yare') *o teu nome*" (Sl 86.11). Quando tememos a Deus, por encontrarmos nele o sentido da vida e da eternidade, aprendemos a vencer todos os outros temores irrelevantes (Jo 6.20/Mt 10.26,28,31; 14.27,30).[22]

Diante de tantas opções que querem nos tornar cativos de suas percepções e ações, aprendemos que, na realidade, o único caminho viável para aqueles que amam ao Senhor e confiam nos seus preceitos, é seguir as suas instruções. "Ao homem que teme (יָרֵא) (yare') ao SENHOR, ele o instruirá (יָרָה) (yârâh) no caminho que deve escolher" (Sl 25.12).

"O temor (יִרְאָה) (yir'ah) do SENHOR é límpido (טָהוֹר) (tahor) (puro,[23] limpo) e permanece para sempre; os juízos do

SENHOR são verdadeiros e todos igualmente, justos" (Sl 19.9). A Palavra de Deus é absolutamente clara no que ele requer de nós. Ela é direta em suas orientações. Não há obscuridade no mandamento de Deus, impedimentos à nossa compreensão.

O nosso temor a Deus é totalmente confiante nas suas promessas, convictos de sua santidade e majestade. Por isso, podemos sincera e confiantemente atentar para a sua Palavra, considerando a veracidade e objetividade de seus mandamentos. Não há contradição em Deus nem nos seus mandamentos. Há uma perfeita harmonia em todos os seus preceitos.

b) É um princípio orientador de nossa vida

No temor de Deus, encontramos clareza de propósito e sabedoria de ensino. Nos seus princípios, temos a origem da sabedoria e uma condução segura para a nossa vida. O fundamento de todo conhecimento verdadeiro está no temor do Senhor. Aqui temos a essência da sabedoria.

Diversos textos das Escrituras nos mostram estes aspectos: "O <u>temor</u> (יִרְאָה) (yir'ah) do SENHOR conduz à vida; aquele que o tem ficará satisfeito, e mal nenhum o visitará" (Pv 19.23). "O <u>temor</u> (יִרְאָה) (yir'ah) do SENHOR é a instrução da sabedoria...." (Pv 15.33). "O <u>temor</u> (יִרְאָה) (yir'ah) do SENHOR é o princípio do saber, mas os <u>loucos</u> (אֱוִיל) ('eviyl) desprezam a sabedoria e o ensino" (Pv 1.7/Pv 15.5).

Estes "loucos" desprezam a instrução do Senhor porque têm prazer em suas loucuras. São sábios aos seus próprios olhos: "O caminho do <u>insensato</u> (אֱוִיל) ('eviyl) aos seus próprios olhos parece reto...." (Pv 12.15/Pv 14.3). Acham graça de seus próprios pecados: "Os loucos (אֱוִיל) ('eviyl) zombam do pecado...." (Pv 14.9). Contudo, eles sofrerão as consequências de seus atos: "*Os estultos* (אֱוִיל) ('eviyl), por causa do seu caminho de transgressão e por causa das suas iniquidades, serão afligidos" (Sl 107.17/Pv 10.8,10,14,21).

"O temor (יִרְאָה) (yir'ah) do SENHOR é o princípio da sabedoria; revelam prudência todos os que o praticam. O seu louvor permanece para sempre" (Sl 111.10). As Escrituras referem-se a Cornélio deste modo: "Piedoso e temente (φοβέω) a Deus com toda a sua casa e que fazia muitas esmolas ao povo e, de contínuo, orava a Deus" (At 10.2/At 10.22). A Escritura ensina também a importância deste temor diante de Deus entre todos os povos: "....Em qualquer nação, aquele que o teme (φοβέω) e faz o que é justo lhe é aceitável" (At 10.35). Ou seja, a questão da satisfação de Deus não é étnica ou cultural, ao contrário, é de obediência sincera.

Somos informados por Lucas que a igreja em Atos crescia e se desenvolvia com este estimulante e confortador sentimento: "A igreja, na verdade, tinha paz por toda a Judéia, Galiléia e Samaria, edificando-se e caminhando no temor (φόβος) do Senhor, e, no conforto do Espírito Santo, crescia em número" (At 9.31).

c) Temor e integridade

No final da vida, Josué, que conduzira a Israel por tantos anos, reúne toda a liderança e o povo. Relembra-lhes a história de Israel, os atos de Deus de formação e preservação. Josué estimula o povo a reafirmar sua fidelidade à aliança feita com Deus.

As suas palavras são de exortação ao temor de Deus e a servi-lo, como vimos, com integridade: "Agora, pois, temei (יָרֵא) (yare') ao SENHOR e servi-o com integridade (תָּמִים) (tamiym) e com fidelidade; deitai fora os deuses aos quais serviram vossos pais dalém do Eufrates e no Egito e servi ao SENHOR" (Js 24.14).

O Livro de Jó começa com uma descrição do seu caráter: "Havia um homem na terra de Uz, cujo nome era Jó; homem íntegro (תָּם) (tam) (completo, inteiro) e reto, temente (יָרֵא) (yare') a Deus e que se desviava do mal" (Jó 1.1/Jó 1.8; 2.3).

Paulo, no Novo Testamento, estimula a igreja a se desenvolver em santidade no temor do Senhor: "Tendo, pois, ó amados, tais promessas, purifiquemo-nos de toda impureza, tanto da carne como do espírito, aperfeiçoando a nossa santidade no temor (φόβος) de Deus" (2Co 7.1).

d) Anda no caminho do Senhor

Ao mesmo tempo em que o temor do Senhor nos afasta do mal, aproxima-nos de Deus, levando-nos a andar nos seus preceitos. "Bem-aventurado aquele que teme (יָרֵא) (yare') ao SENHOR e anda nos seus caminhos!" (Sl 128.1)

e) Tem prazer na Lei do Senhor

O temor do Senhor é educativo. Ele ensina a nos aproximar de Deus e a nos agradar nos seus mandamentos, descobrindo a alegria da obediência ao nosso Senhor. "Aleluia! Bem-aventurado o homem que teme (יָרֵא) (yare') ao SENHOR e se compraz (חָפֵץ) (haphets [tem grande prazer]) nos seus mandamentos" (Sl 112.1).

f) Aptos para governar

Quando o sogro de Moisés o aconselha a nomear auxiliares para julgar o povo, sugere o critério: "Procura dentre o povo homens capazes (חַיִל) (hayil) (pessoas hábeis, honradas e de bem), tementes (יָרֵא) (yare') a Deus, homens de verdade (אֱמֶת) ('emeth) (fiel, digno de confiança), que aborreçam a avareza...." (Ex 18.21). Estes homens são qualificados de "homens de verdade", ou seja, são honrados, íntegros, dignos de confiança. De passagem, podemos dizer que aqui temos um indicativo do significado de hombridade: ser fiel, digno de confiança.

Após o retorno do cativeiro babilônio, quando *Neemias* explica a nomeação de Hananias para supervisionar a segurança da cidade de Jerusalém, ele apresenta o critério do qual se valeu:

> Ora, uma vez reedificado o muro e assentadas as portas, estabelecidos os porteiros, os cantores e os levitas, eu nomeei Hanani, meu irmão, e Hananias, maioral do castelo, sobre Jerusalém. Hananias era homem fiel (אֱמֶת) ('emeth) (verdadeiro, digno de confiança) e temente (יָרֵא) (yare') a Deus, mais do que muitos outros (Ne 7.1-2).

h) O Temor a Deus e a nossa vida social

O temor a Deus tem implicações éticas. Daí a Escritura, ao qualificar os servos de Deus como homens tementes a Deus, sempre os apresentam com virtudes relevantes dentro do ponto que se quer enfatizar.

Há uma identificação natural entre tais pessoas devido aos princípios, valores e práticas semelhantes. Temos prazer em conviver com pessoas que temem ao Senhor. Devemos cultivar isso: "Companheiro sou de todos os que te temem (יָרֵא) (yare') e dos que guardam os teus preceitos" (Sl 119.63).

O temor do Senhor nos aproxima por identificarmos propósitos semelhantes. Somos pecadores, contudo buscamos em Deus o perdão e a correção. Ainda que não possamos nem devamos transformar as nossas relações sociais em um *gueto* ou uma casta de homens e mulheres com espírito farisaico - e isto deve ficar bem claro para nós -, sabemos que é altamente salutar e alegre conviver com os nossos irmãos buscando a edificação recíproca: "Alegraram-se os que te temem (יָרֵא) (yare') quando me viram, porque na tua palavra tenho esperado" (Sl 119.74). "Voltem-se para mim os que te temem (יָרֵא) (yare') e os que conhecem os teus testemunhos" (Sl 119.79). "Aqueles com quem decidimos gastar nosso tempo disponível moldarão dramaticamente nossa vida".[24] (1Co 15.33; Pv 13.20).

A Escritura também nos adverte quanto a critérios puramente estéticos sem uma avaliação mais substancial e relevante: "Enganosa é a graça, e vã, a formosura, mas a mulher que teme (יָרֵא) (yare') ao SENHOR, essa será louvada" (Pv 31.30). A mulher que teme ao Senhor revelará também a sua beleza em atos de sábia obediência. Importa dizer aqui que a Escritura não faz apologia à falta de beleza e formosura, antes, declara que estes aspectos solitários, além de ilusórios, são passageiros. O que de fato deve ter prioridade, ainda que não necessária exclusividade, é o temor do Senhor.

EM NOSSA RELAÇÃO COM DEUS

> A intimidade (סוֹד) (sod) (conselho secreto, conversa confidencial) do SENHOR é para os que o temem (יָרֵא) (yare'), aos quais ele dará a conhecer a sua aliança (Sl 25.14).

O temor de Deus nos fala de um senso de reverência pelo fato de conhecermos a Deus, sabermos de sua grandeza e majestade. Os que temem a Deus são os íntimos; têm "conversas confidenciais" com o Senhor. Mais uma vez, deparamo-nos com um paradoxo. O senso de temor, longe de nos afastar, nos aproxima de Deus. Somos tornados íntimos de Deus. É ele mesmo quem nos aproxima de si. Com os que o temem, Deus compartilha a sua aliança, o seu propósito e conselho, colocando no coração destes a alegria e a confiança de saber de forma experiencial quem é o seu Deus, o Deus da aliança, digno de todo temor – próprio daqueles que são íntimos do Senhor –, e alegre obediência. "O homem justo e reto, que anda no temor do Senhor, receberá o conselho secreto de Deus".[25]

a) Confiam e esperam no Senhor

> Alegraram-se os que te temem (יָרֵא) (yare') quando me viram, porque na tua palavra tenho esperado (Sl 119.74).

> Confiam no SENHOR os que temem (יָרֵא) (yare') o SENHOR; ele é o seu amparo e o seu escudo. De nós se tem lembrado o SENHOR; ele nos abençoará; abençoa-

rá a casa de Israel, abençoará a casa de Arão. Ele abençoa os que temem (יָרֵא) (yare') o SENHOR, tanto pequenos como grandes (Sl 115.11-13).

O SENHOR está comigo; não temerei (יָרֵא) (yare'). Que me poderá fazer o homem? (Sl 118.6).

Os que temem ao Senhor, ainda que não possam discernir em cada etapa de sua vida o propósito de Deus, conhecem o seu Deus, por isso podem descansar em suas promessas, sabendo que os caminhos de Deus são sempre perfeitos.

b) Têm uma visão correta da misericórdia de Deus, da qual são beneficiários

Digam, pois, os que temem (יָרֵא) (yare') ao SENHOR: Sim, a sua misericórdia dura para sempre (Sl 118.4/Sl 103.11,17).

Eis que os olhos do SENHOR estão sobre os que o temem (יָרֵא) (yare'), sobre os que esperam na sua misericórdia, para livrar-lhes a alma da morte, e, no tempo da fome, conservar-lhes a vida. Nossa alma espera no SENHOR, nosso auxílio e escudo. Nele, o nosso coração se alegra, pois confiamos no seu santo nome. Seja sobre nós, SENHOR, a tua misericórdia, como de ti esperamos (Sl 33.18-22).

Como um pai se compadece de seus filhos, assim o SENHOR se compadece dos que o temem (יָרֵא) (yare') (Sl 103.13).

Em nome da graça não podemos nos tornar arrogantes. Não há lugar para isso: "Bem! Pela sua incredulidade, foram quebrados; tu, porém, mediante a fé, estás firme. Não te ensoberbeças, mas teme (φοβέω)" (Rm 11.20).

c) Sentem-se seguros

Como Deus cuida de nós, podemos nos sentir seguros, protegidos por ele mesmo: "Temei (יָרֵא) (yare') o SENHOR, vós os seus santos, pois nada falta aos que o temem (יָרֵא) (yare')" (Sl 34.9). "Dá sustento aos que o temem (יָרֵא) (yare'); lembrar-se-á sempre da sua aliança" (Sl 111.5).

Se Deus é a nossa fortaleza, a ninguém temeremos: "Ainda que eu ande pelo vale da sombra da morte, não temerei (יָרֵא) (yare') mal nenhum, porque tu estás comigo; o teu bordão e o teu cajado me consolam" (Sl 23.4/Sl 34.7; 56.3-4,11).

Os mais terríveis temores podem ser dominados pela plena confiança no cuidado de Deus. "O SENHOR é a minha luz e a minha salvação; de quem terei medo (יָרֵא) (yare')? O SENHOR é a fortaleza da minha vida; a quem temerei (פַּחַד) (pahad)?" (Sl 27.1/Is 12.2).

d) Deus lhes atende à oração

"Ele acode à vontade dos que o temem (יָרֵא) (yare'); atende-lhes o clamor e os salva" (Sl 145.19). O temor do Senhor não nos torna imunes a angústias próprias de nossa existência e limitações, contudo, há uma certeza: Deus não é indiferente à nossa oração. Dentro de seu propósito santo, ele nos consola, ouvindo o nosso clamor, salvando-nos.

e) *São bem-aventurados com as bênçãos de Deus*

Como o temor de Deus envolve uma relação amorosa com Deus, tendo implicações em todas as nossas relações, a Escritura declara com frequência a bem-aventurança própria daqueles que temem a Deus:

> Aleluia! Bem-aventurado o homem que teme (יָרֵא) (yare') ao SENHOR e se compraz nos seus mandamentos (Sl 112.1).

> Ele abençoa os que temem (יָרֵא) (yare') o SENHOR, tanto pequenos como grandes (Sl 115.13).

> Bem-aventurado aquele que teme (יָרֵא) (yare') ao SENHOR e anda nos seus caminhos! (Sl 128.1/Sl 128.4).

> Como é grande a tua bondade, que reservaste aos que te temem (יָרֵא) (yare'), da qual usas, perante os filhos dos homens, para com os que em ti se refugiam! (Sl 31.19).

O TEMOR DE DEUS E O CULTO

O escritor de Hebreus instrui aos cristãos da nova aliança a se aproximarem de Deus com confiança, em Cristo. Acrescenta:

> Por isso, recebendo nós um reino inabalável, retenhamos a graça, pela qual sirvamos a Deus de modo agradável (* εὐαρέστως = "de modo aceitável"), com reverência (αἰδώς) (= modéstia) e santo temor (εὐλάβεια) (= reverentemente, piedade); porque o nosso Deus é fogo consumidor" (Hb 12.28-29).

Nós cultuamos a Deus, a quem conhecemos, tendo uma visão clara, ainda que não exaustiva, de sua majestade e santidade. Devemos ter diante de nossos olhos estes aspectos em nosso culto solene a Deus.

Outro ponto que quero destacar é que devemos ter prazer em compartilhar entre os santos os feitos de Deus em nossa vida: o seu perdão, a sua misericórdia, proteção e paz.

> Vinde, ouvi, todos vós que temeis (יָרֵא) (yare') a Deus, e vos contarei o que tem ele feito por minha alma (Sl 66.16).

Sentimos prazer da companhia de nossos irmãos no culto a Deus:

> A meus irmãos declararei o teu nome; cantar-te-ei louvores no meio da congregação; vós que temeis (יָרֵא) (yare') o SENHOR, louvai-o; glorificai-o, vós todos, descendência de Jacó; reverenciai-o, vós todos, posteridade de Israel. Pois não desprezou, nem abominou a dor do aflito, nem ocultou dele o rosto, mas o ouviu, quando lhe gritou por socorro. De ti vem o meu louvor na grande congregação; cumprirei os meus votos na presença dos que o temem (יָרֵא) (yare') (Sl 22.22-25).

O nosso cântico deve ser um testemunho dos atos de Deus a fim de que outros possam também aprender a temer e confiar no Senhor:

> Esperei confiantemente pelo SENHOR; ele se inclinou para mim e me ouviu quando clamei por socorro. Tirou-me de um poço de perdição, de um tremedal de lama; colocou-me os pés sobre uma rocha e me firmou os passos. E me pôs nos lábios um novo cântico, um hino de louvor ao nosso Deus; muitos verão essas coisas, temerão (יָרֵא) (yare') e confiarão no SENHOR (Sl 40.1-3).

No Apocalipse, encontramos cantos angelicais de louvor considerando a majestade de Deus como digna de temor: ".... Temei (φοβέω) a Deus e dai-lhe glória, pois é chegada a hora do seu juízo; e adorai aquele que fez o céu, e a terra, e o mar, e as fontes das águas" (Ap 14.7). "Quem não temerá (φοβέω) e não glorificará o teu nome, ó Senhor? Pois só tu és santo; por isso, todas as nações virão e adorarão diante de ti, porque os teus atos de justiça se fizeram manifestos" (Ap 15.4). "Saiu uma voz do trono, exclamando: Dai louvores ao nosso Deus, todos os seus servos, os que o temeis (φοβέω), os pequenos e os grandes" (Ap 19.5).

Este Salmo nos desafia a rever a nossa forma de nos portar na sociedade e, também, a nossa escala de valores. O que honramos indica aquilo a que atribuímos importância e valor. Por meio de uma antítese, o salmista nos diz que aqueles que querem morar permanentemente na casa do Senhor devem ter valores depurados, desenvolvendo um discernimento claro que os leve a agir de conformidade com estes princípios, os quais envolverão o desprezo pela atitude desprezível em rejeitar a Deus e a honra àqueles que temem a Deus, vivendo com este princípio como norteador de sua vida, ações, planos e idealizações.

Normalmente, honramos as pessoas pela condição social que representam ou pelo grau de importância que lhe é atribuída pela sociedade. No entanto, neste Salmo temos um princípio que deve nos conduzir a reavaliar isso, tratando com honra os que são verdadeiramente honrados: os que temem ao Senhor.

Temamos, portanto, ao Senhor em amor, obediência, adoração e louvor. Quem assim procede, deve ser honrado por todos os filhos de Deus. Honremos aos que lhe temem. Obedeçamos ao Senhor. Este é o princípio da sabedoria e da glorificação do nome do Senhor.

6

GUARDANDO-SE DA GANÂNCIA

"O que não empresta o seu dinheiro com *usura* (נֶשֶׁךְ) (*neshek*) (= *interesse, morder,*[1] *mastigar*[2])*....*" (Sl 15.5).

NÃO EMPRESTA SEU DINHEIRO COM USURA

Aqui o que se tem em vista, é a cobrança extorsiva sobre o bem emprestado. Cobrar juros do que não deveria ser cobrado.[3] O empréstimo dentro da visão bíblica não fazia parte simplesmente da esfera financeira. O fator econômico não era o elemento determinante, nem autônomo. Refletia valores teológicos e espirituais. Portanto, o empréstimo dentro do princípio teológico bíblico envolvia também uma perspectiva social: aliviar a pobreza.[4] "Os que afirmam estar em uma relação de pacto com Deus têm a obrigação moral de evitar práticas exploratórias, refletindo a compaixão divina, mostrando bondade para com os companheiros menos afortunados e protegendo o direito do pobre quanto às necessidades básicas da vida".[5]

O princípio estabelecido na Lei não obrigava o cidadão a emprestar seu dinheiro, contudo, ao emprestar, havia condições básicas contra a usura, inclusive, no que diz respeito à prática permitida do penhor: "Se emprestares dinheiro ao meu povo, ao pobre que está contigo, não te haverás com ele como credor (נשׁה) (nashah) que impõe juros (נֶשֶׁךְ)(neshek)" (Ex 22.25/Lv 25.36-37//Dt 24.6,10-13).

O princípio não se restringia ao dinheiro: "A teu irmão não emprestarás com juros (נֶשֶׁךְ)(neshek), seja dinheiro, seja comida ou qualquer coisa que é costume se emprestar com juros (נֶשֶׁךְ)(neshek)" (Dt 23.19).

Ao estrangeiro poderia ser emprestado com juros: "Ao estrangeiro emprestarás com juros (נֶשֶׁךְ)(neshek), porém a teu irmão não emprestarás com juros (נֶשֶׁךְ)(neshek), para que o SENHOR, teu Deus, te abençoe em todos os teus empreendimentos na terra a qual passas a possuir" (Dt 23.20). Se considerarmos que este preceito visa apenas equilibrar as relações comerciais, fica mais fácil entendê-lo. O estrangeiro cobrava juros naturalmente. Desta forma, para que houvesse um equilíbrio econômico, era permitido ao judeu cobrar juros de tais pessoas.[6]

Não devemos nos esquecer de que a prática de juros era comum na Antiguidade, sendo que os juros praticados eram altíssimos, chegando a 50% ao ano.[7] À luz do Antigo Testamento, os juros cobrados aos estrangeiros certamente não seriam extorsivos, visto que isso quebraria os próprios princípios da Lei. Além disso, os *credores* não deveriam cobrar juros adicionais no pagamento da dívida, o que inviabilizaria a sua quitação.[8] É possível que os juros praticados em Israel após o cativeiro não passasse de 1% ao mês (Ne 5.11),[9] contudo, temos dificuldades com o texto e a sua melhor tradução.[10]

Quando Deus fala sobre a responsabilidade de cada um perante ele, ilustra alguns comportamentos que deveriam ser rejeitados devido à pecaminosidade de tais atos. O povo de Judá, por exemplo, estava colhendo os frutos no cativeiro por causa de seus próprios pecados. Entre os preceitos de Deus que foram quebrados, lemos: "Não dando o seu dinheiro à usura (נֶשֶׁךְ) (neshek), não recebendo juros (תַּרְבִּית) (tarbiyth) (= acréscimo, aumento),[11] desviando a sua mão da injustiça e fazendo verdadeiro juízo entre homem e homem" (Ez 18.8).

Mais à frente: "Emprestar com usura (נֶשֶׁךְ)(neshek) e receber juros (תַּרְבִּית) (tarbiyth), porventura, viverá? Não viverá. Todas estas abominações ele fez e será morto; o seu sangue será sobre ele" (Ez 18.13).

> No meio de ti, aceitam subornos (שֹׁחַד) (shachad)[12] para se derramar sangue; usura (נֶשֶׁךְ)(*neshek*) e lucros (תַּרְבִּית) (tarbiyth) (= acréscimo, aumento) tomaste, extorquindo-o; exploraste o teu próximo com extorsão; mas de mim te esqueceste, diz o SENHOR Deus (Ez 22.12).

Quem tais coisas praticam não será abençoado por Deus. A sua riqueza será agregada ao que acode misericordiosamente o necessitado: "O que aumenta os seus bens com juros (נֶשֶׁךְ)(neshek) e ganância (תַּרְבִּית) (tarbiyth) ajunta-os para o que se compadece do pobre" (Pv 28.8). "Quem se compadece do pobre ao SENHOR empresta, e este lhe paga o seu benefício" (Pv 19.17).

Há uma relação gramatical entre a atitude do agiota e o agir com *impiedade* e *falsamente*.[13] Fisher, seguindo Speiser,[14] comenta que na prática antiga de empréstimos, "descontavam-se os juros normais e que a 'usura' consistia numa segunda taxa de juros cobrada depois que o devedor inadimplente era preso como escravo".[15]

Considerando inclusive o Salmo 15, Calvino gerou uma revolução social apresentando uma visão bíblica da questão do trabalho e dos juros, aplicando ao seu contexto:[16] Ele entendia que "a indolência e a inatividade são amaldiçoadas por Deus".[17] Em outro lugar: "Moisés acrescenta agora que a terra foi outorgada ao homem com esta condição: que se ocupasse em cultivá-la, de onde se segue que foram os homens criados para empregar-se em fazer alguma coisa e não para estarem ociosos e indolentes. Verdade é que esse labor era bem alegre e agradável, longe de todo aborrecimento e cansaço; todavia, quando Deus quis que o homem se afizesse a cultivar a terra, na pessoa dele condenou todo repouso indolente".[18] Todavia, a graça de Deus atenua a severidade de punição, anexando ao labor humano uma dose de satisfação que deveria caracterizar primariamente o trabalho.[19]

Além disso, o trabalho está relacionado com o progresso de toda a raça humana:

> Há modos diferentes de se trabalhar. Para quem ajuda a sociedade dos homens pela indústria, ou regendo sua família, ou na administração pública ou em negócios privados, ou aconselhando, ou ensinando ou de qualquer outra maneira, não será considerado entre os inativos. Paulo censura aqueles zangões preguiçosos que querem viver pelo suor dos outros, não contribuindo assim com nenhum serviço em comum para ajudar a raça humana.[20]

O ganho ilícito, por meio do qual o patrimônio de nosso próximo é dilapidado, não é, na realidade – independentemente do nome que se dê, já que o ser humano é pródigo em adjetivar a maldade com termos nobres –, um sinal de inteligência, mas de iniquidade. É, portanto, uma forma de furto.[21] Por isso, "não se deve fazer um uso pervertido dos labores que outras pessoas empreendem em seu próprio benefício".[22]

Mais tarde, o teólogo genebrino Francis Turretini (1623-1687), interpretando o pensamento de Calvino, diria que receber salário por um trabalho mal feito é uma forma de roubo.[23] Portanto, retornando ao próprio Calvino, "não se deve fazer um uso pervertido dos labores que outras pessoas empreendem em seu próprio benefício".[24]

Ainda que o dinheiro emprestado a juros seja permitido[25] - prática tão comum na Europa há muitos séculos antes de Calvino[26] -, o trabalho honesto, fruto do nosso labor é que deve ser a fonte de recursos para a manutenção de nossa família. Não devemos nos aproveitar das necessidades alheias, vivendo simplesmente de transações financeiras. Um princípio justo é que em todas as negociações haja benefícios para ambas as partes.

NÃO ACEITA SUBORNO CONTRA O INOCENTE

> O que não empresta o seu dinheiro com usura, nem aceita suborno (שַׁחַד) (shahad) (= presente, dádiva, incentivo) contra o inocente. Quem deste modo procede não será jamais abalado (Sl 15.5).

O que é suborno?

Tomo como parâmetro, ainda que de forma genérica, a definição apresentada por Noonan Jr., que escreveu um livro intitulado, *Subornos*: "A essência do conceito de suborno é a presença de um incentivo que influencia indevidamente o desempenho de uma função pública, destinada a ser exercida gratuitamente".[27] O suborno consiste na doação de algum bem material ou não com vistas à obtenção de um julgamento oposto ao que é justo à luz da lei. Todo suborno envolve cinco elementos: 1) O doador; 2) o receptor; 3) a doação, 4) o propósito da doação e, 5) a causa a ser julgada.

O suborno, uma prática tão comum na Antiguidade,[28] recebe tratamento diferente nas páginas do Antigo Testamento. O fundamento desta perspectiva jaz em Deus, aquele que é justo e reto, não sendo subornável:

> Pois o SENHOR, vosso Deus, é o Deus dos deuses e o Senhor dos senhores, o Deus grande, poderoso e temível,

> que não faz acepção de pessoas, nem aceita suborno (שַׁחַד) (shahad); que faz justiça ao órfão e à viúva e ama o estrangeiro, dando-lhe pão e vestes (Dt 10.17-18).

Josafá quando nomeia juízes em Judá, os instrui mostrando que eles eram agentes de Deus, devendo, portanto, obedecer ao padrão de Deus. Então lhes diz:

> ....Vede o que fazeis, porque não julgais da parte do homem, e sim da parte do SENHOR, e, no julgardes, ele está convosco. Agora, pois, seja o temor do SENHOR convosco; tomai cuidado e fazei-o, porque não há no SENHOR, nosso Deus, injustiça, nem parcialidade, nem aceita ele suborno (שַׁחַד) (shahad) (2Cr 19.6-7).

O fato é que os princípios éticos de um povo nunca estarão em um nível superior ao da sua religião. A religião como produto cultural expressará sempre os limites subjetivos do real e, consequentemente, os anseios de um povo. Neste caso, a descrição de Feuerbach (1804-1872) é correta: "A religião é uma revelação solene das preciosidades ocultas do homem, a confissão dos seus mais íntimos pensamentos, a manifestação pública dos seus segredos de amor".[29]

As bem conhecidas críticas de Xenófanes (c. 570-c.460 a.C.), Heráclito (c. 540-480 a.C.) e Empédocles (c. 495-455 a.C.) à religiosidade grega são ilustrativas. Cito aqui apenas Xenófanes:

> Homero e Hesíodo atribuíram aos deuses tudo o que para os homens é opróbrio e vergonha: roubo, adultério e fraudes recíprocas.
>
> Como contavam dos deuses muitíssimas ações contrárias às leis: roubo, adultério, e fraudes recíprocas.
>
> Mas os mortais imaginam que os deuses são engendrados, têm vestimentas, voz e forma semelhantes a eles.
>
> Tivessem os bois, os cavalos e os leões mãos, e pudessem, com elas, pintar e produzir obras como os homens, os cavalos pintariam figuras de deuses semelhantes a cavalos, e os bois semelhantes a bois, cada (espécie animal) reproduzindo a sua própria forma.
>
> Os etíopes dizem que os seus deuses são negros e de nariz chato, os trácios dizem que têm olhos azuis e cabelos vermelhos.[30]

A fé cristã, no entanto, parte de um Deus transcendente, pessoal e que se revela. O Deus que fala e age, sendo o seu agir uma forma do seu falar. Este Deus é santo. Por meio de sua Palavra, ele exige de seu povo santidade.[31] A justiça é uma das expressões da santidade. Por isso, Deus instruiu aos juízes a fim de que não fossem passionais e interesseiros na formulação de seus juízos, o que os impediriam de enxergar com clareza a causa proposta.

O suborno corrompe o que o homem tem de mais íntimo, sendo a sede de sua razão, emoção e vontade o seu coração: "Verdadeiramente, a opressão faz endoidecer até o sábio, e o suborno (מַתָּנָה) (mattanah) (dádiva, presente)[32] corrompe o coração" (Ec 7.7).

O suborno perverte a própria essência da prática da justiça, fazendo com o que o subornado, avance ainda mais, elaborando discursos para justificar os seus atos: "Também suborno (שַׁחַד) (shahad) não aceitarás, porque o suborno (שַׁחַד) (shahad) cega até o perspicaz e perverte as palavras dos justos" (Ex 23.8). De fato, quão difícil é julgar a matéria em si, sem outros interesses e "estado de espírito". O presente dado a quem julga pode ser um elemento extremamente eloquente a respeito da culpabilidade de quem o oferece, do baixo conceito sustentado a respeito de quem julga e, também, a ingênua vulnerabilidade de quem o recebe.

Ainda que não tratando de vulnerabilidade pecaminosa, Calvino faz menção da dificuldade que enfrentamos ao termos de julgar:

> Não há nada mais difícil do que pronunciar juízo com total imparcialidade, de modo a evitar a demonstração de favoritismo injusto, ou dar margem a suspeitas, ou deixar-se influenciar por notícias desfavoráveis, ou ser excessivamente radical, e em toda causa nada considerar senão a matéria em mãos. Só quando fechamos nossos olhos a considerações pessoais é que podemos pronunciar um juízo equitativo.[33]

Em Deuteronômio a mesma instrução de Êxodo é repetida: "Não torcerás a justiça, não farás acepção de pessoas, nem tomarás suborno (שַׁחַד) (shahad); porquanto o suborno (שַׁחַד) (shahad) cega os olhos dos sábios e subverte a causa dos justos" (Dt 16.19). Notemos que sempre os prejudicados são os "justos", o "inocente", o "órfão" e as "viúvas", símbolos de pobreza e desamparo. Não há suborno para o que é justo ou para desfavorecer o favorecido.

Os filhos de Samuel, que também foram constituídos juízes, são acusados deste pecado, ignorando a Lei de Deus e a integridade de seu pai tão bem conhecida: "Porém seus filhos não andaram pelos caminhos dele; antes, se inclinaram à avareza, e aceitaram subornos (שַׁחַד) (shahad), e perverteram o direito" (1Sm 8.3). Samuel teve que ouvir quieto, com tristeza e frustração, os anciãos se aproveitando das circunstâncias lhe dizerem: "Vê, já estás velho, e teus filhos não andam pelos teus caminhos; constitui-nos, pois, agora, um rei sobre nós, para que nos governe, como o têm todas as nações" (1Sm 8.5).

Deus atende ao pedido pecaminoso do povo (1Sm 8.7-9,22; 10.17-24/Os 13.9-11). Após uma batalha vitoriosa liderada por Saul contra os arrogantes amonitas, num clima de grande alegria, Saul é aclamado o primeiro rei de Israel. Na despedida de Samuel, depois de ter conduzido a Israel durante tantos anos, corajosa e serenamente, diz ao povo:

> .... Eis que ouvi a vossa voz em tudo quanto me dissestes e constituí sobre vós um rei. Agora, pois, eis que tendes o rei à vossa frente. Já envelheci e estou cheio de cãs, e meus filhos estão convosco; o meu procedimento esteve diante de vós desde a minha mocidade até ao dia de hoje. Eis-me aqui, testemunhai contra mim perante o SENHOR e perante o seu ungido: de quem tomei o boi? De quem tomei

> o jumento? A quem defraudei? A quem oprimi? E das mãos de quem aceitei suborno (כֹּפֶר) (kopher) (presente para obter algum favor)[34] para encobrir com ele os meus olhos? E vo-lo restituirei (1Sm 12.1-3).

A resposta do povo atestou a absoluta integridade de Samuel: "…. Em nada nos defraudaste, nem nos oprimiste, nem tomaste coisa alguma das mãos de ninguém" (1Sm 12.4). Em Samuel ("nome de Deus"), neste juiz-sacerdote-profeta, temos um exemplo magnífico de integridade reconhecido ao longo das Escrituras (Jr 15.1; At 3.24; 13.20/ 1Sm 3.20;13.11-13).

No entanto, o ato de subornar é bastante prático e eficaz em seus objetivos pecaminosos: "Pedra mágica é o suborno (שַׁחַד) (shahad) aos olhos de quem o dá, e para onde quer que se volte terá seu proveito" (Pv 17.8).

O piedoso Asa, rei de Judá, em situação difícil por causa das guerras constantes contra Israel, compra a lealdade de Ben-Hadade, rei da Síria, em oposição a Baasa, rei de Israel:

> Haja aliança entre mim e ti, como houve entre meu pai e teu pai. Eis que te mando um presente (שַׁחַד) (shahad), prata e ouro; vai e anula a tua aliança com Baasa, rei de Israel, para que se retire de mim. Ben-Hadade deu ouvidos ao rei Asa e enviou os capitães dos seus exércitos contra as cidades de Israel; e feriu a Ijom, a Dã, a Abel-Bete-Maaca e todo o distrito de Quinerete, com toda a terra de Naftali (1Rs15.19-20).

Do mesmo modo procedeu o pragmático Acaz em relação à Tiglate-Pileser, rei da Assíria, quando se viu em apuros diante da Síria e de Israel:

> Acaz enviou mensageiros a Tiglate-Pileser, rei da Assíria, dizendo: Eu sou teu servo e teu filho; sobe e livra-me do poder do rei da Síria e do poder do rei de Israel, que se levantam contra mim. Tomou Acaz a prata e o ouro que se acharam na Casa do SENHOR e nos tesouros da casa do rei e mandou de presente (שַׁחַד) (shahad) ao rei da Assíria (2Rs 16.7-8).

O homem perverso tem prazer em torcer o juízo. Ele não se compraz no que é direito: "O perverso aceita suborno (שַׁחַד) (shahad) secretamente, para perverter as veredas da justiça" (Pv 17.23).

Por meio de Isaías e Miquéias, Deus demonstra como no Século VIII a.C., a moralidade tornara-se baixa em Israel, estando os príncipes, juízes e sacerdotes, agindo por interesses, corrompendo a prática da justiça: "Os teus príncipes são rebeldes e companheiros de ladrões; cada um deles ama o suborno (שַׁחַד) (shahad) e corre atrás de recompensas (שַׁלְמֹנִים) (shalmon) (suborno).[35] Não defendem o direito do órfão, e não chega perante eles a causa das viúvas" (Is 1.23/Is 5.23).

Os líderes, além de só pensarem nos seus interesses, blasfemavam o nome de Deus, demonstrando nenhum respeito para com ele e à sua Lei. Todo o sistema religioso e jurídico estava corrompido. Por intermédio de Miquéias, Deus os descreve: "Os seus cabeças dão as sentenças por suborno (שַׁחַד) (shahad), os seus sacerdotes ensinam por interesse, e os seus profetas adivinham por dinheiro; e ainda se encostam ao SENHOR, dizendo: Não está o SENHOR no meio de nós? Nenhum mal nos sobrevirá" (Mq 3.11). Neste texto, Deus está anunciando o cativeiro que viria se o povo não se arrependesse. O povo foi para o cativeiro.

> O rei da Assíria transportou a Israel para a Assíria e o fez habitar em Hala, junto a Habor e ao rio Gozã, e nas cidades dos medos; porquanto não obedeceram à voz do SENHOR, seu Deus; antes, violaram a sua aliança e tudo quanto Moisés, servo do SENHOR, tinha ordenado; não o ouviram, nem o fizeram (2Rs 18.11-12).

A prática do suborno confere ao homem a sensação de ser senhor da história. Na pressuposição de que todo homem tem seu preço, posso reger o meu destino. Deste modo, meus recursos se constituem em meu Deus, por meio do qual manipulo quaisquer situações adversas. O meu poder de persuasão, sedução, barganha e compra é a minha lei. A soberania de Deus é banida, o seu trono e cetro me pertencem. Desta forma, pensa poder dizer: "As minhas mãos dirigem meu destino". Fútil e perigosa ilusão. Deus continua no controle. Vê todas as coisas, e não se agrada dessa prática.

CONSIDERAÇÕES PONTUAIS

O que Deus condena está tão bem sedimentado e, às vezes, até mesmo legalizado em nossa sociedade que nós já até consideramos tais práticas em nossos planejamentos e expectativas.

De fato, o caminho do mal sempre parece ser mais eficaz e rápido. Ele tende a nos fascinar pelo resultado mais fácil e imediatamente compensador. No entanto, Deus nos propõe caminhos de vida, de integridade, honestidade e princípios (Is 33.15).[36] O sucesso não pode ser considerado apenas à luz do tempo cronológico, mas a partir da eternidade. A instrução preventiva de Deus contra tais tentações e, ao mesmo tempo, como expressão de confiança e amadurecimento na fé, é-nos transmitida por Jesus Cristo:

> *Portanto, não vos inquieteis, dizendo: Que comeremos? Que beberemos? Ou: Com que nos vestiremos? Porque os gentios é que procuram todas estas coisas; pois vosso Pai celeste sabe que necessitais de todas elas; buscai, pois, em primeiro lugar, o seu reino e a sua justiça, e todas estas coisas vos serão acrescentadas* (Mt 6.31-33).

Deus nos fornece princípios que permanecem e, que serão considerados parcialmente aqui, contudo, se tornarão plenamente evidentes na eternidade. Se quisermos habitar na casa do Senhor sigamos as normas, os princípios e os mandamentos deste mesmo Senhor. O usufruir da graça sem a busca da obediência é menosprezo para com a obediência de Cristo (2Co 6.1; Ef 2.8-10; Fp 2.5-8).[37] "Se desejamos que a obediência de Cristo nos seja proveitosa, então devemos imitá-la".[38]

PARTE 3

INTEGRIDADE NO FALAR

A linguagem é um meio de difusão da cultura e, ao mesmo tempo, de seu fortalecimento. A linguagem carrega consigo significados e valores.

O homem, "é a única criatura na terra capaz de colocar a comunicação em forma de símbolos sem nenhuma relação com seus referentes, além daquela que a mente humana lhe atribui. Além disso, transcendendo o tempo e o espaço, ele consegue passar informações a outros em lugares remotos ou àqueles que ainda vão nascer".[1]

Comunicar, etimologicamente, significa "tornar comum". Neste ato de comunicar, formamos uma comunidade,[2] constituída por aqueles que sabem, que partilham do mesmo conhecimento. Assim, a comunicação é uma quebra de isolamento individual para que haja uma comunhão.[3]

A nossa comunicação reflete a compreensão que temos de nossa própria experiência. Comunico o que considero relevante dentro de propósitos específicos ou não, contudo sempre dentro de objetivos visualizados. A comunicação visa transmitir o "sentido" do percebido por intermédio da linguagem. Por sua vez, a função principal da linguagem é a comunicação.[4]

O falar é uma expressão natural daquilo que somos e fazemos. A nossa precipitação no falar revela, talvez, a nossa imprudência ou, quem sabe, o nosso impulso por vezes bem intencionado em resolver questões pendentes. Seja como for, o falar tem a ver também com a nossa vida espiritual e nossa relação com Deus.

O salmista nos diz que aquele que deseja habitar na casa do Senhor age e fala com integridade.

7

FALANDO A VERDADE DE CORAÇÃO

O que vive com integridade, e pratica a justiça, e, de coração (לֵבָב) (lebab), *fala* (דִּבֵּר) (dabar) *a verdade* (אֱמֶת) ('emeth) (firmeza, certeza, confiança, segurança) (Sl 15.2).

A rainha de Sabá extasiada com a sabedoria de Salomão, "ficou como fora si" (1Rs 10.5).[1] Disse-lhe então: "....Foi verdade (אֱמֶת) ('emeth) a palavra (דָּבָר) (dabar) que a teu respeito ouvi na minha terra e a respeito da tua sabedoria" (1Rs 10.6; 2Cr 9.5). Ela pôde comprovar o que ouvira em sua terra distante.

De forma mais significativa diz a viúva de Serepta após o profeta Elias trazer de volta à vida seu filho: "Nisto conheço agora que tu és homem de Deus e que a palavra (דָּבָר) (dabar) do SENHOR na tua boca é verdade" (1Rs 17.24).

Ambas as mulheres se alegraram com a verdade. Enquanto a primeira pôde se deleitar intelectualmente, a segunda encontrou a razão de sua existência e fé.

VERDADE ASSOCIADA A DEUS

Biblicamente, a verdade está sempre associada a Deus. A verdade é de Deus; não há verdade fora de Deus.[2] O salmista refere-se a Deus como "*Senhor, Deus da* *verdade* (אֱמֶת) ('emeth)" (Sl 31.5).

Conforme mencionamos neste texto e tratamos em outro lugar,[3] do mesmo modo como Jesus Cristo nos diz que a Palavra de Deus é a verdade (Jo 17.17), o salmista declara que a verdade de Deus não se harmoniza com algum outro padrão distinto, decorrendo daí a sua veracidade. Pelo contrário, o que ele afirma é que a sua Palavra é a própria verdade, o padrão de verdade ao qual qualquer alegação pretensamente verdadeira deverá se adequar.[4]

Por isso, toda a Palavra do Senhor é igualmente verdadeira, não havendo contradição, sendo ela a própria verdade que permanece, não estando circunscrita a tempos e épocas. Dentro desta certeza, o salmista pôde afirmar: "O temor do SENHOR é límpido e permanece para sempre; os juízos do SENHOR são verdadeiros (אֱמֶת) ('emeth) e todos igualmente, justos" (Sl 19.9). "A tua justiça é justiça eterna, e a tua lei é a própria verdade (אֱמֶת) ('emeth)" (Sl 119.142). (da mesma forma Sl 119.151,160). Deste modo, a Palavra se constitui em base segura e confiável sobre a qual posso dirigir minha vida.

Por Deus ser perfeito, todos os seus atributos revelam aspectos de sua essência. Portanto, como em tudo mais, a verdade de Deus não se opõe à sua misericórdia. Nos caminhos de Deus, ambas andam de mãos dadas: "Todas as veredas do SENHOR são misericórdia (חֶסֶד) (hesed) e verdade (אֱמֶת) ('emeth) para os que guardam a sua aliança e os seus testemunhos" (Sl 25.10).

Deus age sempre em harmonia com as suas perfeições: "Mas tu, Senhor, és Deus compassivo e cheio de graça, paciente e grande em misericórdia (חֶסֶד) (hesed) e em verdade (אֱמֶת) ('emeth)" (Sl 86.15).

Deus é o Deus verdadeiro. Toda verdade provém e é preservada por ele. Portanto, ele tem prazer na verdade. Ele abomina a hipocrisia e duplicidade.

"Eis que te comprazes na verdade (אֱמֶת) ('emeth) no íntimo e no recôndito me fazes conhecer a sabedoria" (Sl 51.6). Ele é sensível à oração dos fiéis, daqueles que o invocam verdadeiramente: "Perto está o SENHOR de todos os que o invocam, de todos os que o invocam em verdade (אֱמֶת) ('emeth)" (Sl 145.18).

Quando o profeta Oséias anuncia a palavra de juízo de Deus sobre Israel,[5] começa assim: "Ouvi a palavra do SENHOR, vós, filhos de Israel, porque o SENHOR tem uma contenda com os habitantes da terra, porque nela não há verdade (אֱמֶת) ('emeth), nem amor, nem conhecimento de Deus" (Os 4.1).

Séculos depois, quando o povo do Reino Sul voltou do cativeiro babilônico, houve uma recordação dos atos de misericórdia de Deus e da desobediência do povo. Em ocasião marcada por profunda contrição, a Lei do Senhor foi lida e os levitas fizeram uma longa e significativa oração. Em determinado momento, sob forte emoção, disseram: "Porque tu és justo em tudo quanto tem vindo sobre nós; pois tu fielmente (אֱמֶת) ('emeth) procedeste, e nós, perversamente" (Ne 9.33). Há o reconhecimento de que todos os sofrimentos passados pelo povo foram decorrência do seu pecado, de não atentarem para a Palavra de Deus a qual se cumpriu fielmente.

Por sua vez, no texto analisado, o salmista nos diz que o cidadão dos céus, assim como é próprio do seu Senhor, deve amar a verdade. A verdade deve ser vivida por meio de sua integridade e também deve ser dita, proclamada.

Devemos orar para que Deus nos guie, concedendo-nos discernimento no caminho da verdade. É neste sentido que o salmista ora: "Ensina-me, SENHOR, o teu caminho, e andarei na tua verdade (אֱמֶת) ('emeth); dispõe-me o coração para só temer o teu nome" (Sl 86.11).

Devemos nos relacionar com Deus em fidelidade. A nossa resposta deve ser condizente com a santidade e integridade de Deus (Lv 19.2). Esta é a palavra de Josué ao povo de Israel: "Agora, pois, temei ao SENHOR e servi-o com integridade e com fidelidade (אֱמֶת) ('emeth); deitai fora os deuses aos quais serviram vossos pais dalém do Eufrates e no Egito e servi ao SENHOR" (Js 24.14). De modo semelhante, Samuel instrui ao povo que o rejeitara: "Tão-somente, pois, temei ao SENHOR e servi-o fielmente (אֱמֶת) ('emeth) de todo o vosso coração; pois vede quão grandiosas coisas vos fez" (1Sm 12.24).

No Salmo 15, o falar a verdade não é um ato isolado, antes, está associado ao viver com *integridade* e praticar a *justiça*. Simplesmente falar a verdade de modo ocasional e circunstancial não indica necessariamente nobreza de caráter. Pode ser apenas um uso benfazejo da verdade em causa própria, conforme os nossos interesses momentâneos, os quais podem ter muito pouco de compromisso com a verdade, integridade e fraternidade.

No entanto, o salmista estabelece uma relação de causalidade. Quem vive com integridade, pratica a justiça e fala a verdade. A integridade de caráter se revela em atos e palavras. A nossa língua deve ser uma expressão do que somos. Quem não é íntegro, não fala essencialmente a verdade. Ainda que possa dizê-la episodicamente quando nada o compromete ou lhe convém.

Deste modo, alguns aspectos devem ser frisados, os quais sendo praticados podem nos prevenir de situações incômodas e de causar, talvez involuntariamente, mal a outras pessoas.

O nosso falar deve estar acompanhado de *certeza, credibilidade, segurança*. Não devemos nos precipitar em transmitir certezas e verdades que, na realidade, não foram confirmadas. Recordemos que a palavra usada pelo salmista para verdade (אֱמֶת) ('emeth), tem o sentido também de *fidelidade, veracidade* e *certeza*. Deste modo, o nosso falar deve ser acompanhado pela certeza ao menos subjetiva do que dizemos.

A questão toda está no coração. Devemos falar com sinceridade, comprometendo-nos com o que dizemos. O cidadão do Reino deve ser leal, franco e confiável. Pela sua integridade, as suas palavras devem ser dignas de crédito. Portanto, o nosso falar deve ser, como nos instrui o Senhor Jesus, "*sim, sim; não, não*" (Mt 5.37).

A verdade não deve se transformar em nossos lábios em açoites para expulsar de sua paz interior os nossos desafetos. Quando falamos a verdade de coração (לֵבָב) (lebab), estamos comprometidos com ela. Devemos nos alegrar com o fato de poder levar boas novas e nos entristecer com as verdades desagradáveis que precisam ser comunicadas, às quais todos nós estamos sujeitos em nossa finitude e limitação.

Deste modo, falar de coração a verdade significa compromisso com o que está sendo dito.[6] Eu não preciso apreciar prazerosamente o fato, contudo preciso ter compromisso com a integridade do que foi dito. Como nos instrui Calvino: "Nossa linguagem, portanto, deve ser sincera a fim de que seja semelhante a um espelho, no qual seja contemplada a integridade de nosso coração".[7]

Portanto, não basta falar a verdade. Deve ser de coração. Assim como a verdade está associada à misericórdia de Deus, o nosso buscar, praticar e dizer a verdade, devem estar repletos de amor, conforme nos ensina Paulo: ".... seguindo a verdade (ἀληθεύω) em amor, cresçamos em tudo naquele que é a cabeça, Cristo" (Ef 4.15).

Assim sendo, devemos amar a verdade, procurar vivê-la com integridade e celebrar a Deus por este discernimento: "Eu também te louvo com a lira, celebro a tua verdade (אֱמֶת) ('emeth), ó meu Deus; cantar-te-ei salmos na harpa, ó Santo de Israel" (Sl 71.22). Outra vez: "Não ocultei no coração a tua justiça; proclamei a tua fidelidade e a tua salvação; não escondi da grande congregação a tua graça e a tua verdade (אֱמֶת) ('emeth)" (Sl 40.10).

8

USANDO A LÍNGUA COM SABEDORIA

NÃO DIFAMA

> O *que não* *difama* (רָגַל) (ragal) (ir a pé,[1] espionar)[2] *com sua* *língua* (לשׁוֹן) (lashon),[3] *não faz mal ao próximo, nem lança injúria contra o seu vizinho* (Sl 15.3).

A origem da palavra *difamar* está associada aos "pés". Ela é usada de várias formas no Antigo Testamento, inclusive de modo figurado.[4] Uma delas é a identificação dos pés como indicativo do meio comum para se viajar e espionar.

O texto quer dizer que os cidadãos dos céus não são pródigos em sair por aí, caminhando, investigando a vida alheia e, com sua língua, denegrindo as pessoas. Ao contrário, a nossa língua, que caracteriza bem a nossa humanidade,[5] deve ser usada como medicina para o ferido: "Alguém há cuja tagarelice é como pontas de espada, mas a língua (לשׁוֹן) (lashon) dos sábios é medicina (מַרְפֵּא) (marpe') (= cura, restaura, torna saudável)" (Pv 12.18).[6] E, principalmente, para alegremente louvar a Deus: "Então, a nossa boca se encheu de riso, e a nossa língua (לשׁוֹן) (lashon), de júbilo; então, entre as nações se dizia: Grandes coisas o SENHOR tem feito por eles" (Sl 126.2/ Sl 51.16).

Quando somos muito prestativos, em geral, temos muitas informações resultantes das aflições das pessoas que nos falam em momento de dor e angústia ou mesmo espontaneamente, como resultado de nossa proximidade ajudadora. Assim, desabafam, contam intimidades e, por confiarem circunstancialmente em nós, cometem algumas indiscrições contextuais. Não podemos permitir que a nossa atitude de servir com alegria traga consigo o maligno prazer em espalhar notícias a respeito de nossos irmãos, especialmente aquelas que além de poderem não ser verdadeiras – resultantes de uma versão bastante peculiar –, não edificam. Usemos de nosso caminhar para ajudar, confortar e exortar, não para difamar ou para qualquer outra forma de mal (Jó 31.5; Pv 1.16; 6.18; Is 59.7).

Mefibosete, diante de Davi, atestando a sua lealdade ao rei, diz que foi enganado e caluniado por seu servo, aquele que lhe era próximo, Ziba:[7] "Demais disto, ele falsamente me acusou (רִגֵּל) (ragal) a mim, teu servo, diante do rei, meu senhor; porém o rei, meu senhor, é como um anjo de Deus; faze, pois, o que melhor te parecer" (2Sm 19.27).

Por sua vez, Isaías, aludindo à beleza e alegria da mensagem, exclama: "Que formosos são sobre os montes os pés (רֶגֶל) (regel) do que anuncia as boas-novas, que faz ouvir a paz, que anuncia coisas boas, que faz ouvir a salvação, que diz a Sião: O teu Deus reina!" (Is 52.7). Paulo aplica a figura destes mensageiros aos evangelistas que levam a mensagem do Evangelho: "Quão formosos são os pés dos que anunciam coisas boas!" (Rm 10.15/Ef 6.15).

Assim, cuidemos bem de nossos pés e de nossa língua, usando-os dentro dos propósitos santos de Deus. Sejamos os soldados de Deus, fazendo parte de sua infantaria que marcha difundindo o Evangelho e combatendo o mal. Precisamos, então, pedir que Deus nos ensine a caminhar corretamente conforme fez com Efraim, ainda que este tenha se voltado ingratamente contra o seu Senhor: "Todavia, eu ensinei a andar (תִּרְגַּל) (tirgal) a Efraim...." (Os 11.3).

NÃO LANÇA INJÚRIA

> .... *nem lança injúria* (חֶרְפָּה) (herpah) *contra o seu vizinho* (קָרוֹב) (qarob) (Sl 15.3).

A ideia é de não insultar, não ridicularizar, nem desdenhar e escarnecer do seu vizinho (קָרוֹב) (qarob),[8] daquele que é próximo espacialmente,[9] chegado[10] ou mesmo parente.[11] Com o convívio tão próximo que temos, quer por consanguinidade quer espacialmente, moramos no mesmo prédio, trabalhamos juntos, frequentamos a mesma igreja ou grupos de oração, podemos passar a conhecer aspectos da rotina de nosso próximo, de suas dificuldades e de seu caráter. Ou é possível que com o passar do tempo tenhamos algum tipo de incômodo: barulho no andar de cima, hábito de ouvir música muito alta, a questão da vaga na garagem, sacudir os detritos da toalha de mesa pela janela, etc.

Em outro tipo de proximidade, podemos saber dos problemas familiares de alguns irmãos, quer conjugal, quer com os filhos, dificuldades financeiras. Estas pequenas coisas vão desgastando a nossa relação de boa vizinhança e de equilíbrio. Deus não deseja que nos valhamos disso para expor a ridículo os nossos vizinhos, amigos e parentes, zombando, desdenhando, afrontando-os, tentando denegrir a sua reputação. O convívio pode de fato aproximar as pessoas e, paradoxalmente, também as afastar. O texto nos fala justamente do convívio na casa do Senhor. Deus é o Senhor da terra e, portanto, de nossa habitação. Faremos bem em atentar para a abrangência das orientações do Senhor de todos.

Numa outra perspectiva, vemos que o salmista sabia o que era ser injuriado devido a sua fidelidade a Deus: "Pois tenho suportado afrontas (חֶרְפָּה) (herpah) por amor de ti, e o rosto se me encobre de vexame" (Sl 69.7).

O nosso conforto e, ao mesmo tempo, advertência, é que isto não passa despercebido diante de Deus: "Tu conheces a minha afronta (חֶרְפָּה) (herpah), a minha vergonha e o meu vexame; todos os meus adversários estão à tua vista" (Sl 69.19).

Portanto, quando somos afrontados injustamente, podemos clamar a Deus. A nossa causa é a sua causa: "Levanta-te, ó

Deus, pleiteia a tua própria causa; lembra-te de como o ímpio (נָבָל) (nabal) te afronta (חֶרְפָּה) (herpah) todos os dias" (Sl 74.22).[12] Por sua vez, a proximidade de Deus é-nos de grande conforto e alívio: "Perto (קָרוֹב) (qarob) está o SENHOR dos que têm o coração quebrantado e salva os de espírito oprimido" (Sl 34.18/Sl 119.151;145.18).

CUMPRE A PALAVRA

> *....o que jura com dano próprio e não se retrata* (מוּר) (mur) (Sl 15.4).

A ideia é de alguém que fala a verdade e, mesmo sendo pressionado, sustenta o que disse, ainda que tenha de arcar com as consequências de sua dignidade. Ele não se abala em sua posição. A verdade é uma coisa séria que não pode ser modificada simplesmente quando estou em perigo ou estão me pressionando para assim fazê-lo. A verdade sustentada é tão relevante que é a verdade experimentada. Desta forma, não estamos sustentando conceitos vagos, sem conhecimento de causa ou porque estão na moda. A verdade crida e experimentada é para ser dita e sustentada em quaisquer circunstâncias.

A atitude de mudança fácil, indisposta a assumir o preço de sua integridade, é recriminada por Deus. É um ato de infidelidade. O povo de Israel mudou a sua adoração, deixando a Deus por uma ficção. "Houve alguma nação que trocasse os seus deuses, posto que não eram deuses? Todavia, o meu povo trocou (מוּר) (mur) a sua Glória por aquilo que é de nenhum proveito" (Jr 2.11). Em síntese: o povo foi infiel para com Deus.

Deus deseja um povo que, amparado nas Escrituras, honre a sua palavra, tenha integridade e assuma os riscos próprios de sua fidelidade, não variando suas posições e sua fidelidade conforme os modismos, circunstâncias ou interesses. O nosso grande compromisso, ao qual todos os demais se ajustam, é glorificar a Deus em tudo que fazemos. A dubiedade, inconstância e falsidade nunca glorificam o Deus da verdade.

Deus, como nenhum outro chamado deus da Antiguidade,[13] determina na sua Palavra um *pacto social* – com este nome enfatizo que a aliança firmada por Deus entre ele e o seu povo que estabelece princípios e normas de relacionamento com o nosso próximo – com o seu povo estabelecendo os critérios para vivermos obedientemente em sua presença. Neste pacto, há preceitos claros para que possamos viver em harmonia com os nossos irmãos. No entanto, há a demonstração de que não somos perfeitos, daí a luta constante para que, pela graça, sejamos fiéis a Deus em todos os nossos relacionamentos.

CONCLUSÃO

1. Busquemos viver em integridade com a Palavra de Deus. Esta integridade evidenciará em muitas circunstâncias que a nossa coerência pessoal tem sido pecaminosa. Não tenhamos compromissos conosco mesmos acima de nosso compromisso com a Palavra de Deus.
2. O nosso coração está aberto diante do juízo escrutinador de Deus. Daí a exortação do salmista: “Cesse a malícia dos ímpios, mas estabelece tu o <u>justo</u> (צַדִּיק)(tsadiq); pois sondas a mente e o coração, ó <u>justo</u> (צַדִּיק)(tsadiq) Deus” (Sl 7.9). Devemos ter consciência de que todo o nosso pensar e agir é na presença de Deus.

3. Deus não é indiferente ao mal. Ele julga com justiça e o seu escrutínio perfeito faz com julgue conforme a verdade absoluta que dele procede.
4. A nossa relação com Deus sempre é em misericórdia e justiça. Em Cristo, temos a plena manifestação de ambas as perfeições de Deus. As nossas orações se amparam sempre nestas duas realidades.
5. Não devemos honrar nem valorizar aquilo que desagrada a Deus. O nosso desprezo pelo réprobo é devido ao fato dele desprezar a Deus, tornando-se, por isso mesmo, desprezível.
6. O nosso padrão de justiça deve ser nada mais, nada menos do que a vontade revelada de Deus em sua Palavra.
7. Apesar de todas as lutas e dificuldades, devemos nos empenhar por praticar o bem para com todas as pessoas. Se necessário, disponhamo-nos a sofrer o mal, não a praticá-lo.
8. Independentemente de classe social, honremos os nossos irmãos que temem a Deus e por isso o honram.
9. Devemos pedir a Deus que encha o nosso coração com a alegria do seu santo temor, que nos conduz a ter prazer no seu culto e a nos afastar do que lhe desagrada.
10. Devemos nos alegrar em poder socorrer aos nossos irmãos, vendo nestas ocasiões a oportunidade de sermos agentes de Deus no suprimento de suas necessidades e, ao mesmo tempo, instrumentos de Deus no cumprimento de sua promessa.

11. Devemos tratar a todos com dignidade, não difamando nem injuriando os nossos vizinhos, irmãos e amigos, aqueles que estão próximos, a fim de que não nos privemos de sua intimidade e, consequentemente, de aspectos de sua vida pessoal.
12. Sustentemos a verdade, mesmo que isso nos custe um alto preço. No entanto, Deus não é indiferente à dor de seus filhos. O nosso conforto é que ele está perto de nós, atento às nossas aflições decorrentes da fidelidade aos seus preceitos.
13. "*Quem deste modo procede não será jamais* (עולם) (ʻôlam) abalado (מוט) (mot)" (Sl 15.5). O salmista afirma que quem procede conforme os princípios deste salmo, em tempo algum escorregará, não será abalado, não caminhará de modo vacilante[1] e cambaleante.[2] Pelo contrário, estará seguro nas veredas do Senhor, pelas quais seus passos se afizeram: "*Os meus passos se afizeram às tuas veredas, os meus pés não resvalaram* (מוט) (mot)"[3] (Sl 17.5). Deus é o firme fundamento de seu povo. A sua Palavra é o guia seguro que nos conduz à sua eterna habitação. A pergunta no primeiro verso encontra, no final, a resposta definitiva.[4] Quem assim age, estará para sempre com o Senhor.
14. Este Salmo revela de forma cabal a nossa impossibilidade de atender às suas exigências. Quem de nós por nós mesmos poderá habitar na casa do Senhor? Certamente nenhum de nós. Ninguém cumpriu este ideal, exceto Jesus Cristo. Nós somente poderemos nos tornar cidadãos

dos céus por meio dos méritos de Cristo, o eterno Filho de Deus, Senhor do céu e da terra.[5] E ele mesmo, o Senhor e herdeiro de todas as coisas (Rm 8.17), é quem promete aos seus discípulos uma habitação gloriosa e perene:

> Não se turbe o vosso coração; credes em Deus, crede também em mim. Na casa de meu Pai há muitas moradas. Se assim não fora, eu vo-lo teria dito. Pois vou preparar-vos lugar. E, quando eu for e vos preparar lugar, voltarei e vos receberei (Jo 14.1-3).

Vivemos aqui nesta terra com as lutas e dificuldades próprias de nossa finitude e pecado. No entanto, já podemos visualizar a glória. O Senhor foi-nos preparar lugar na sua casa. Agora, somos desafiados a nos preparar para esta habitação, atendendo aos preceitos divinos. Por graça, em Cristo, todos nós que cremos nele estaremos lá um dia, para sempre, na presença do Senhor em companhia de nossos irmãos que viveram, vivem ou ainda viverão nesta cidade ainda provisória. "A felicidade é morar e estar perpetuamente no reino de Deus, entrando na presente vida na possessão do reino, e continuando a possessão na vida eterna".[6]

NOTAS

Introdução

1. Cf. Frans Van Deursen, *Los Salmos,* Países Bajos: Fundacion Editorial de Literatura Reformada, 1996, v. 1, p. 173.
2. Para um paralelismo entre o Decálogo e o Salmo 15, veja-se: Peter C. Craigie, *Psalms 1-50,* 2. ed. Waco: Thomas Nelson, Inc. (Word Biblical Commentary, v. 19), 2004, (Sl 15), p. 150-151.
3. Cf. Robin Wakely, nsk: In: Willem A. VanGemeren, org. *Novo Dicionário Internacional de Teologia e Exegese do Antigo Testamento,* São Paulo: Cultura Cristã, 2011, v. 3, p. 190.
4. Aliás, inclino-me a considerar uma mera especulação a associação feita com frequência deste salmo com as indagações do adorador ao sacerdote antes de adentrar ao lugar sagrado. (Vejam-se, por exemplo: Peter C. Craigie, *Psalms 1-50,* 2. ed. Waco: Thomas Nelson, Inc. (Word Biblical Commentary, v. 19), 2004, (Sl 15), p. 150; James M. Boice, *Psalms: an expositional commentary,* Grand Rapids, MI.: Baker Book House, 1994, v. 1, (Sl 15), (notas) p. 368-369).

5. "Claro que essas características não criam cidadãos do Reino, mas são necessárias para a manutenção da boa postura diante do Senhor" (Eugene H. Merrill, *Teologia do Antigo Testamento,* São Paulo: Shedd Publicações, 2009, p. 560).
6. Cf. James M. Boice, *Psalms: an expositional commentary,* Grand Rapids, MI.: Baker Book House, 1994, v. 1, (Sl 15), p. 122.
7. Cf. Derek Kidner, *Salmos 1-72: introdução e comentário,* São Paulo: Vida Nova/Mundo Cristão, 1980, v. 1, p. 97. "O primeiro fato que nos chama a atenção é que num cântico destinado ao culto não se faz nenhuma menção de coisas cúlticas, como sacrifícios, ofertas, ritos de purificação, mas só de exigências morais. Toda a ênfase recai nesses requisitos. É da essência do culto da aliança que a 'obediência' é mais importante que os sacrifícios" (Artur Weiser, *Os Salmos,* São Paulo: Paulus, 1994, p. 118). Uma hipótese comum, obviamente não conclusiva, é de que este Salmo teria sido escrito por Davi quando trouxe com alegria a Arca da Aliança para Jerusalém (2Sm 6.12ss; 1Cr 15.25-16.6). (Vejam-se, entre outros: Ernst W. Hengstenberg; John Thomson, *Commentary on the Psalms,* Tennessee: General Books, © 1846, 2010 (Reprinted), v. 1, (Sl 15), p. 149; W.S. Plumer, *Psalms,* Carlisle, Pennsylvania: The Banner of Truth Trust, © 1867, 1975 (Reprinted), (Sl 15), p. 199; C.F. Keil; F. Delitzsch, *Commentary on the Old Testament,* Grand Rapids, MI: Eerdmans, (1871), v. 5, (I/III), (Sl 15), p. 210-211; E. Calvín Beísner, *Psalms of Promise: Celebrating the Majesty and Faithfulness of God,* 2. ed. Phillipsburg, NJ.: P. & R. Publishing, 1994, p. 143-144; Allan Harman, *Comentário do Antigo Testamento - Salmos,* São Paulo: Cultura Cristã, 2011, (Sl 15), p. 107).
8. Veja-se: G.B. Funderburk, Tenda: In: Merrill C. Tenney, org. ger. *Enciclopédia da Bíblia,* São Paulo: Cultura Cristã, 2008, v. 5, p. 832.
9. *"Pela fé, peregrinou na terra da promessa como em terra alheia, habitando em tendas com Isaque e Jacó, herdeiros com ele da mesma promessa"* (Hb 11.9).
10. *"Porém, se algum estrangeiro se* <u>*hospedar*</u> (גּוּר) (gur) *contigo e quiser celebrar a Páscoa do SENHOR, seja-lhe circuncidado todo macho; e, então, se chegará, e a observará, e será como o natural da terra; mas nenhum incircunciso comerá dela"* (Ex 12.48). (De igual modo: Lv 17.8; 19.33; Nm 9.14).
11. Sl 19.4; 52.5; 69.25; 78.51,55,60,67; 83.6; 84.10; 91.10.
12. O substantivo (אֹהֶל) ('ohel), bastante frequente no AT. (ocorre 340 vezes),

significa *habitação, lar, tenda, tabernáculo*. Descreve a "habitação portátil" usada por nômades, pastores e soldados (Gn 4.20; 13.5,12,18; 18.6,9,10; 25.27; Jr 6.3) (Vejam-se: Klaus Koch, Ôbh: In: G. Johannes Botterweck; Helmer Ringgren, eds. *Theological Dictionary of the Old Testament*, Grand Rapids, MI.: Eerdamans, 1977 (Revised Edition), v. 1. p. 118-130; Jack P. Lewis, Ahal: In: R. Laird Harris, et. al., eds. *Dicionário Internacional de Teologia do Antigo Testamento*, São Paulo: Vida Nova, 1998, p. 21-22; W. Michaelis, σκηνή: In: Gerhard Friedrich; Gerhard Kittel, eds. *Theological Dictionary of the New Testament*, 8. ed. Grand Rapids, Michigan: WM. B. Eerdmans Publishing Co., (reprinted) 1981, v. 7, p. 369-374 (especialmente); Anthony Tomasino, Ohel: In: Willem A. VanGemeren, org. *Novo Dicionário Internacional de Teologia e Exegese do Antigo Testamento*, São Paulo: Cultura Cristã, 2011, v. 1, p. 292-294). Um pequeno porém instrutivo artigo temos em: R.E. Hayden; G.B. Funderburk, Tenda: In: Merrill C. Tenney, org. ger. *Enciclopédia da Bíblia*, São Paulo: Cultura Cristã, 2008, v. 1, p. 831-832.

13. Para uma avaliação das distinções dos termos *habitar* e *morar*, vejam-se: Victor P. Hamilton, Shakan: In: R. Laird Harris, et. al., eds. *Dicionário Internacional de Teologia do Antigo Testamento*, São Paulo: Vida Nova, 1998, p.1561-1562; Harold G. Stigers, Gur: In: R. Laird Harris, et. al., eds. *Dicionário Internacional de Teologia do Antigo Testamento*, p. 254-256; Gustav Stählin, ξένος: In: Gerhard Friedrich; Gerhard Kittel, eds. *Theological Dictionary of the New Testament*, 8. ed. Grand Rapids, Michigan: WM. B. Eerdmans Publishing Co., (reprinted) 1981, v. 5, p. 8-15 (especialmente); K.L; M.A. Schmidt; R. Meyer, πάροικος: *TDNT.*, v. 5, p. 841-851; D. Kellermann, Gur: In: G. Johannes Botterweck; Helmer Ringgren, eds. *Theological Dictionary of the Old Testament*, Grand Rapids, MI.: Eerdamans, 1977 (Revised Edition), v. 2, p. 439-449; R. Martin-Achard, Gur: In: E. Jenni; C. Westemann, *Diccionario Teologico Manual Del Antiguo Testamento*, Madrid: Ediciones Cristiandad, 1978, v. 1, p. 583-588; L.L. Walker, Estrangeiro (Termos Hebraicos): In: Merrill C. Tenney, org. ger. *Enciclopédia da Bíblia*, São Paulo: Cultura Cristã, 2008, v. 2, p. 596-597; R.F. Gribble, Estrangeiro, Forasteiro: In: Merrill C. Tenney, org. ger. *Enciclopédia da Bíblia*, v. 2, p. 597-598; R. de Vaux, *Instituições de Israel no Antigo Testamento*, São Paulo: Editora Teológica/Paulus, 1993, p. 98-100; W.S. Plumer, *Psalms*, (Sl 15), p. 199-200; Albert Barnes, *Notes on the Old*

Testament, 11. ed. Grand Rapids, MI.: Baker Book House, 1973, v. 1, (Sl 15.1), p. 120; A.H. Konkel, Gwr: In: Willem A. VanGemeren, org. *Novo Dicionário Internacional de Teologia e Exegese do Antigo Testamento*, São Paulo: Cultura Cristã, 2011, v. 1, p. 811-813; Gerald H. Wilson, Skn: In: Willem A. VanGemeren, org. *Novo Dicionário Internacional de Teologia e Exegese do Antigo Testamento*, São Paulo: Cultura Cristã, 2011, v. 4, p. 109-111).

14. "*Lembra-te da tua congregação, que adquiriste desde a antiguidade, que remiste para ser a tribo da tua herança; lembra-te do monte Sião, no qual tens habitado*" (Sl 74.2). "*Eis-me aqui, e os filhos que o SENHOR me deu, para sinais e para maravilhas em Israel da parte do SENHOR dos Exércitos, que habita no monte Sião*" (Is 8.18). "*Sabereis, assim, que eu sou o SENHOR, vosso Deus, que habito em Sião, meu santo monte; e Jerusalém será santa; estranhos não passarão mais por ela. (...) Eu expiarei o sangue dos que não foram expiados, porque o SENHOR habitará em Sião*" (Jl 4.17 e 21).
15. John Stott, *Salmos Favoritos*, São Paulo: Abba Press, 1997, p. 14.

PARTE 1. UMA CHAMADA À INTEGRIDADE

1. "[3] *Todavia, a mim mui pouco se me dá de ser julgado por vós ou por tribunal humano; nem eu tampouco julgo a mim mesmo.* [4] *Porque de nada me argúi a consciência; contudo, nem por isso me dou por justificado, pois quem me julga é o Senhor.* [5] *Portanto, nada julgueis antes do tempo, até que venha o Senhor, o qual não somente trará à plena luz as coisas ocultas das trevas, mas também manifestará os desígnios dos corações; e, então, cada um receberá o seu louvor da parte de Deus*" (1Co 4.3-5).
2. A LXX usa aqui (Sl 15.2) o adjetivo ἄμωμος. No Novo Testamento Paulo fala que Deus nos elegeu na eternidade para sermos *irrepreensíveis* (ἄμωμος) diante Dele (Ef 1.4). (Veja-se: Hermisten M.P. Costa, *Efésios – O Deus Bendito*, São Paulo: Cultura Cristã, 2011, p. 132).
3. "*No terceiro dia, oferecereis onze novilhos, dois carneiros, catorze cordeiros de um ano, sem defeito* (תָּמִים) (tamiym)" (Nm 29.20). Quanto a uma breve indicação deste termo como ocorre na Septuaginta, veja-se: Robert B. Girdlestone, *Synonyms of the Old Testament*, Grand Rapids, Michigan: Eerdmans, (1897), Reprinted, 1981, p. 96-97.

4. Cf. John W. Baigent, Salmos (1-72). In: F.F. Bruce, ed. ger. *Comentário Bíblico NVI: Antigo e Novo Testamento,* São Paulo: Vida Nova, 2009, (Sl 15), p. 777.
5. J. Barton Payne, Tâman: In: R. Laird Harris, et. al., eds. *Dicionário Internacional de Teologia do Antigo Testamento,* São Paulo: Vida Nova, 1998, p. 1649.

1. Integridade: a vontade de Deus

1. "Em nenhum outro lugar a integridade é mais necessária que na liderança da igreja, porque o líder espiritual tem de manter a integridade para firmar um exemplo confiável a ser seguido. Mesmo assim, há muitos líderes a quem falta integridade e que são, por definição, hipócritas" (John MacArthur, Jr., *O Poder da Integridade,* São Paulo: Cultura Cristã, 2001, p. 9-10).
2. Agir com inteligência e discernimento. Sobre a palavra, vejam-se: William Gesenius, *Hebrew-Chaldee Lexicon to the Old Testament,* 3. ed. Michigan: WM. Eerdmans Publishing Co. 1978, p. 789-790; Louis Goldberg, Sakal: In: R. Laird Harris, et. al., eds. *Dicionário Internacional de Teologia do Antigo Testamento,* São Paulo: Vida Nova, 1998, p. 1478-1480; Robert B. Girdlestone, *Synonyms of the Old Testament,* Grand Rapids, Michigan: Eerdmans, (1897), Reprinted, 1981, p. 74, 224-225.
3. Integridade (1Rs 9.4; Sl 7.8; 26.1,11; 37.37); sinceridade (Gn 20.5,6; Sl 25.21); pacato (Gn 25.27); ajustar (Ex 26.24). A palavra (תֹּם)(tom) é da mesma de raiz (תָּמִים) (tamiym), (תָּמַם) (tamam): ser completo, estar terminado.
4. "Para se viver com significado, é necessário descobrir a verdade, descobrir a realidade; uma vez descoberta, temos de viver em fidelidade para com a verdade. A integridade e a busca da verdade andam de mãos dadas" (Charles Colson; Harold Fickett, *Uma boa vida,* São Paulo: Cultura Cristã, 2008, p. 174).
5. "*Diz o* <u>*insensato*</u> (נָבָל) (nabal) *no seu* <u>*coração*</u> (לֵב)(leb)*: Não há* <u>*Deus*</u> (אֱלֹהִים) (elohim)...." (Sl 14.1).
6. Procurar com integridade e compromisso (Conforme vimos a palavra no Salmo 14).
7. "*O semblante alegre do rei significa vida, e a sua* <u>*benevolência*</u> (רָצוֹן)(ratson) *é como a nuvem que traz chuva serôdia*" (Pv 16.15).

8. Quanto ao emprego da expressão no Antigo Testamento, vejam-se: William White, Ratson: In: R. Laird Harris, et. al., eds. *Dicionário Internacional de Teologia do Antigo Testamento,* São Paulo: Vida Nova, 1998, p. 1450-1451; G. Gerleman, Rsh: In: E. Jenni; C. Westemann, *Diccionario Teologico Manual Del Antiguo Testamento,* Madrid: Ediciones Cristiandad, 1978, v. 2, p. 1017-1021; G. Schrenk, Εὐδοκία: In: Gerhard Friedrich; Gerhard Kittel, eds. *Theological Dictionary of the New Testament,* 8. ed. Grand Rapids, Michigan: WM. B. Eerdmans Publishing Co., (reprinted) 1982, v. 2, p. 742-745.
9. João Calvino, *O Livro dos Salmos,* São Paulo: Edições Parakletos, 1999, V.3, (Sl 103.18), p. 603.
10. John Stott, *Salmos Favoritos,* São Paulo: Abba Press, 1997, p. 17.
11. "[13] *Estavas no Éden, jardim de Deus; de todas as pedras preciosas te cobrias: o sárdio, o topázio, o diamante, o berilo, o ônix, o jaspe, a safira, o carbúnculo e a esmeralda; de ouro se te fizeram os engastes e os ornamentos; no dia em que foste criado, foram eles preparados.* [14] *Tu eras querubim da guarda ungido, e te estabeleci; permanecias no monte santo de Deus, no brilho das pedras andavas.* [15] *Perfeito* (תָּמִים) (tamiym) *eras nos teus caminhos, desde o dia em que foste criado até que se achou iniqüidade em ti*" (Ez 28.13-15). (Vejam-se: J. Barton Payne, Tâman: In: R. Laird Harris, et. al., eds. *Dicionário Internacional de Teologia do Antigo Testamento,* São Paulo: Vida Nova, 1998, p. 1648; J. Barton Payne, *The Theology of the Older Testament,* Grand Rapids, Michigan: Zondervan, 1962, p. 336-338).
12. "*...Faze-me justiça, SENHOR, pois tenho andado* (הָלַךְ) (halak) *na minha integridade e confio no SENHOR, sem vacilar.* [2]*Examina-me, SENHOR, e prova-me; sonda-me o coração e os pensamentos.* [3] *Pois a tua benignidade, tenho-a perante os olhos e tenho andado* (הָלַךְ) (halak) *na tua verdade (...)*[11]*Quanto a mim, porém, ando* (יָלַךְ) (yalak) *na minha integridade; livra-me e tem compaixão de mim*" (Sl 26.1-3,11).
13. "*Bem-aventurado o homem que não anda* (הָלַךְ) (halak) *no conselho dos ímpios, não se detém no caminho dos pecadores, nem se assenta na roda dos escarnecedores*" (Sl 1.1).

PARTE 2. INTEGRIDADE NO VIVER

1. João Calvino, *A Verdadeira Vida Cristã,* São Paulo: Novo Século, 2000, p. 39.

3. Praticando a justiça

1. Para maiores detalhes sobre o conceito de justiça, veja-se: Hermisten M.P. Costa, *A Bem-Aventurada fome e sede de justiça* (Mt 5.6) (Disponível em: https://docs.google.com/viewer?a=v&pid=explorer&chrome=true&srcid=0B-O3Dkx1kn89MzE2YTY1NjQtMWRmMy00YjM5LWIzZTUtYmM2YTFjZGNkOTIz&hl=pt_BR) (Consulta feita em 25.11.11).
2. Gerhard Von Rad, *Teologia do Antigo Testamento*, São Paulo: ASTE, 1986 (Re-edição), V.1, p. 353.
3. A.H. Leitch, Justiça: In: M.C. Tenney, org. ger. *Enciclopédia da Bíblia*, São Paulo: Cultura Cristã, 2008, v. 3, p. 807.
4. Devo a citação destes textos a Nash que por meio de seu livro me chamou a atenção para esta aplicação (Ronald H. Nash, *Questões Últimas da Vida: uma introdução à Filosofia*, São Paulo: Cultura Cristã, 2008, p. 394).
5. Agostinho, *Comentário aos Salmos*, São Paulo: Paulinas, 1997, (Patrística, 9/1), V.1, (Sl 2.12), p. 29.
6. "*Bem sei, ó SENHOR, que os teus juízos são justos* (צֶדֶק) (tsedeq) *e que com fidelidade me afligiste*" (Sl 119.75). O Messias ama a Justiça: "*Amas a justiça* (צֶדֶק) (tsedeq) *e odeias a iniqüidade; por isso, Deus, o teu Deus, te ungiu com o óleo de alegria, como a nenhum dos teus companheiros*" (Sl 45.7).
7. "*A tua justiça* (צְדָקָה)(tsedaqah) *é justiça* (צֶדֶק) (tsedeq) *eterna, e a tua lei é a própria verdade*" (Sl 119.142). "*Como o teu nome, ó Deus, assim o teu louvor se estende até aos confins da terra; a tua destra está cheia de justiça* (צֶדֶק) (tsedeq)" (Sl 48.10).
8. "*A minha língua celebre a tua lei, pois todos os teus mandamentos são justiça* (צֶדֶק) (tsedeq)" (Sl 119.172).
9. "*Justiça* (צֶדֶק) (tsedeq) *e direito são o fundamento do teu trono; graça e verdade te precedem*" (Sl 89.14). "*Nuvens e escuridão o rodeiam, justiça* (צֶדֶק) (tsedeq) *e juízo são a base do seu trono*" (Sl 97.2).
10. Do mesmo modo: Sl 71.2; 143.1.
11. Para um breve, porém, elucidativo estudo desta palavra, veja-se: Robert D. Culver, Shapat: In: : R. Laird Harris, et. al., eds. *Dicionário Internacional de Teologia do Antigo Testamento*, São Paulo: Vida Nova, 1998, p. 1604-1606.
12. "... Deus criou todos à sua própria imagem, de modo que apenas temos de olhar para nosso vizinho para vislumbrar a nós mesmos. Nós somos uma carne. E, apesar de diferentes aparências e atitudes, é impossível apagar

a unidade que Deus nos conferiu. Se apenas isso estivesse firmemente cravado em nossa mente, nós todos estaríamos vivendo em paz com o próximo, em um tipo de paraíso terrestre.

"O oposto, entretanto, é o caso. Todos ao nosso redor seguem seus próprios interesses e procuram apenas a sua vantagem. Todos querem dominar o próximo. Daí nosso orgulho, nosso mal humor, nosso veneno no instante em que somos atacados" (João Calvino, *Beatitudes; Sermões sobre as bem-aventuranças,* São Paulo: Fonte Editorial, 2008, p. 47).

13. "A imagem de Deus deve ser um vínculo de união especialmente sagrado. Por isso, aqui não se faz qualquer distinção entre amigo e inimigo, pois os perversos não podem anular o direito natural" (João Calvino, *Gálatas,* São Paulo: Paracletos, 1998, (Gl 5.14), p. 164). "A Escritura nos ajuda com um excelente argumento, ensinando-nos a não pensar no valor real do homem, mas só em sua criação, feita conforme a imagem de Deus. A ele devemos toda honra e o amor de nosso ser"(João Calvino, *A Verdadeira Vida Cristã,* São Paulo: Novo Século, 2000, p. 37). "Não temos de pensar continuamente nas maldades do homem, mas, antes, darmos conta de que ele é portador da imagem de Deus" (João Calvino, *A Verdadeira Vida Cristã,* São Paulo: Novo Século, 2000, p. 38).
14. Hermisten M.P. Costa, *A Bem-Aventurada fome e sede de justiça* (Mt 5.6), (Disponível em: https://docs.google.com/viewer?a=v&pid=explorer&chrome=true&srcid=0B-O3Dkx1kn89MzE2YTY1NjQtMWRmMy00YjM5LWIzZTUtYmM2YTFjZGNkOTIz&hl=pt_BR) (Consulta feita em 25.11.11).
15. Vejam-se: William Hendriksen, *Mateus,* São Paulo: Editora Cultura Cristã, 2001, v. 1, (Mt 5.6), p. 382-384; (Mt 6.33), p. 499-501; John R.W. Stott, *A Mensagem do Sermão do Monte,* 3. ed. São Paulo: ABU., 1985, p. 35.
16. Veja-se: David M. Lloyd-Jones, *Estudos no Sermão do Monte,* São Paulo: Editora Fiel, 1984, p. 71-72.

4. Amando o próximo

1. Veja-se percepção semelhante em J.I. Packer, *O Conhecimento de Deus,* São Paulo: Mundo Cristão, 1980, p. 5-6.
2. Este é tio de Fausto Paolo Socino (1539-1604), teólogo italiano que, entre outras heresias, fruto de uma interpretação puramente racional

das Escrituras, negava a doutrina da Trindade, a divindade de Cristo, sustentando a ressurreição apenas de alguns fiéis, etc. O movimento herético conhecido como Socinianismo é derivado dos ensinamentos de ambos.

3. João Calvino, *Cartas de João Calvino,* São Paulo: Cultura Cristã, 2009, p. 93.
4. "É com o declínio da crença religiosa nos séculos XVIII e XIX que o subjetivismo tornou-se mais que uma simples curiosidade. A fraqueza do fundamento religioso da ética é, no entanto, notória. (...) É (...) com o declínio da crença religiosa que o subjetivismo tornou-se uma força real no pensamento europeu" (Simon Blackburn, Subjetivismo Moral: In: Monique Canto-Sperber, org. *Dicionário de Ética e Filosofia Moral,* São Leopoldo, RS.: Editora Unisinos, 2003, v. 2, p. 645).
5. Veja-se: Ronald H. Nash, *Questões Últimas da Vida: uma introdução à Filosofia,* São Paulo: Cultura Cristã, 2008, p. 375.
6. Thomas Hobbes, *Leviatã,* São Paulo: Abril Cultural, (Os Pensadores, v. 14), 1974, I.6. p. 37.
7. Veja-se: Subjetivismo: In: J. Ferrater Mora, *Dicionário de Filosofia,* São Paulo: Edições Loyola, 2001, v. 4, p. 2774-2775.
8. Vejam-se: Warren C. Young, Subjetivismo Ético: In: Carl Henry, org. *Dicionário de Ética Cristã,* São Paulo: Cultura Cristã, 2007, p. 561. Para uma abordagem mais completa: Simon Blackburn, Subjetivismo Moral: In: Monique Canto-Sperber, org. *Dicionário de Ética e Filosofia Moral,* São Leopoldo, RS.: Editora Unisinos, 2003, v. 2, p. 644-651.
9. Tucídides (c. 465-395 a.C.) observou que: "A significação normal das palavras em relação aos atos muda segundo os caprichos dos homens. A audácia irracional passa a ser considerada lealdade corajosa em relação ao partido; a hesitação prudente se torna covardia dissimulada; a moderação passa a ser uma máscara para a fraqueza covarde, e agir inteligentemente equivale à inércia total. Os impulsos precipitados são vistos como uma virtude viril, mas a prudência no deliberar é um pretexto para a omissão...." (Tucídides, *História da Guerra do Peloponeso,* Brasília, DF.: Editora Universidade de Brasília, 1982, II.82. p. 167).
10. Recomendo com ênfase a leitura da obra de D. M. Lloyd-Jones, *Uma Nação sob a Ira de Deus: Estudos em Isaías* 5. 2. ed. Rio de Janeiro: Textus, 2004.

11. "O resultado (v. 14) é que todos os princípios de moralidade foram retirados da vida da comunidade.... 'Pelas praças', onde eram instalados os processos judiciais, e conduzidas as transações comerciais, a verdade 'anda tropeçando' e cai; ela não é mais tida em alta estima. E nos lares, onde as famílias se reúnem, a honestidade não é admitida; foi banida. Assim a verdade 'sumiu' (v. 15a); não mostra mais o seu rosto" (J. Ridderbos, *Isaías: Introdução e Comentário*, São Paulo: Vida Nova/Mundo Cristão, 1986, (Is 59.12-15a), p. 479).
12. Veja-se: Wayne A. Grudem, *Teologia Sistemática*, São Paulo: Vida Nova, 1999, p. 53-54.
13. Cornelius Van Til, *Apologética Cristã*, São Paulo: Cultura Cristã, 2010, p. 21.
14. John F. MacArthur, Jr., Princípios para uma Cosmovisão Bíblica: uma mensagem exclusivista para um mundo pluralista, São Paulo: Cultura Cristã, 2003, p. 49.
15. John F. MacArthur, Jr., *A Guerra pela Verdade: lutando por certeza numa época de engano*, São José dos Campos, SP.: Editora Fiel, 2008, p. 30.
16. Albert Mohler, *O Desaparecimento de Deus*, São Paulo: Cultura Cristã, 2010, p. 11-12.
17. William Edgar, *Razões do Coração: reconquistando a persuasão cristã*, Brasília, DF.: Refúgio, 2000, p. 120.
18. Sobre este tópico, veja-se: Hermisten M.P. Costa, *Princípios Bíblicos de Adoração Cristã*, São Paulo: Cultura Cristã, 2009.
19. "*Ofereceis sobre o meu altar pão imundo e ainda perguntais: Em que te havemos profanado? Nisto, que pensais: A mesa do SENHOR é desprezível*" (Ml 1.7).
20. Ml 1.8,13.
21. "O tipo de Deus que agrada à maioria das pessoas hoje teria uma disposição fácil quanto à tolerância de nossas ofensas. Ele seria amável, gentil, acomodado, e não possuiria nenhuma reação irada. Infelizmente, até mesmo na igreja parece que perdemos a visão da majestade de Deus. Há tanta superficialidade e frivolidade entre nós. Os profetas e os salmistas provavelmente diriam de nós que não temos o temor de Deus perante nossos olhos. Na adoração pública nosso hábito é nos sentarmos de qualquer modo; não ajoelhamos hoje em dia, muito menos nos prostramos em humildade na presença de Deus. É mais provável que batamos palmas

de alegria do que nos enrubesçamos de vergonha ou lágrimas. Vamos à presença de Deus a fim de reivindicar seu patrocínio e amizade; não nos ocorre que ele pode nos mandar embora" (John R.W. Stott, *A Cruz de Cristo*, Florida: Editora Vida, 1991, p. 98).

22. Ver: John Frame, *Em Espírito e em Verdade*, São Paulo: Cultura Cristã, 2006, p. 66.

23. D. Martyn Lloyd-Jones, *Do Temor à Fé*, p. 72. "[O culto] é um tempo de adoração somente quando Deus está sendo exaltado enquanto as pessoas se humilham diante dele" (Peter White, *O Pastor Mestre*, São Paulo: Editora Cultura Cristã, 2003, p. 82). "Nada tende a produzir mais a devida reverência a Deus do que quando nos sentamos em sua presença" (João Calvino, *O Livro dos Salmos*, v. 2, (Sl 66.3), p. 623).

24. Sl 50.8-13.

25. Is 1.10-17; Is 29.13-14; Ml 1.10.

28. Iain Murray, A Igreja: Crescimento e Sucesso: In: *Fé para Hoje*, São José dos Campos, SP.: Fiel, nº 6, 2000, p. 26.

27. Ronald H. Nash, O Problema do Mal: In: Francis J. Beckwith, et. al., eds. *Ensaios Apologéticos*, São Paulo: Hagnos, 2006, p. 247.

28. Veja-se: G.C. Berkouwer, *Doutrina Bíblica do Pecado*, São Paulo: ASTE., 1970, p. 14-15.

29. Devo pontuar que entendo a teologia como uma sistematização do revelado na Palavra, a fim de tornar mais compreensível a plenitude da revelação. A teologia, portanto, nada tem a dizer além das Escrituras. Ela não a substitui nem a completa, antes, deve ser a sua serva. A teologia brota dentro da intimidade da fé daqueles que cultuam a Deus e comprometem-se com a edificação da igreja.

30. "O pecado original foi o pecado de esquecer Deus. Adão e Eva deram as costas a ele – daí os problemas" (David Martyn Lloyd-Jones, *Uma Nação sob a Ira de Deus: estudos em Isaías* 5, 2. ed. Rio de Janeiro: Textus, 2004, p. 47).

31. "Mal moral é o mal resultante das escolhas e das ações dos seres humanos" (Ronald H. Nash, O Problema do Mal: In: Francis J. Beckwith, et. al., eds. *Ensaios Apologéticos*, São Paulo: Hagnos, 2006, p. 247).

32. Ocorre 5 vezes no NT.: Lc 20.23; 1Co 3.19; 2Co 4.2; 11.3; Ef 4.14.

33. ἐξαπατάω (exapatáō)* Rm 7.11; 16.18; 1Co 3.18; 2Co 11.3; 2Ts 2.3; 1Tm 2.14.

34. "*E a Adão disse: Visto que atendeste a voz de tua mulher e comeste da árvore que eu te ordenara* (צָוָה) (tsavah) *não comesses, maldita é a terra por tua causa; em fadigas obterás dela o sustento durante os dias de tua vida*" (Gn 3.17). O contraste posterior com Noé é evidente. Este, fez tudo quando o Senhor ordenara (צָוָה) (tsavah) (Gn 6.22, 7.5,9,16). Os mandamentos de Deus são para serem literalmente cumpridos: "*Tu ordenaste* (צָוָה) (tsavah) *os teus mandamentos, para que os cumpramos à risca*" (Sl 119.4).

35. Quanto à morte física como consequência do pecado, vejam-se: Louis Berkhof, *Teologia Sistemática*, p. 675-676; Loraine Boettner, *La Inmortalidad*, Grand Rapids, Michigan: TELL. (s.d), p. 15ss; J. Gresham Machen, *El Hombre*, Lima: El Estandarte de la Verdad, 1969, p. 158; Anthony A. Hoekema, *A Bíblia e o Futuro*, São Paulo: Editora Cultura Cristã, 1989, p. 105-114; "Todos os povos ou puxam Deus panteisticamente para baixo, na direção daquilo que é criado, ou o elevam deisticamente, colocando-o infinitamente acima da criatura. Em nenhum dos casos se chega a uma verdadeira comunhão, a uma aliança, a uma religião genuína. No entanto, a Escritura insiste em ambos: Deus é infinitamente grande e condescendentemente bom; ele é soberano, mas também é Pai; ele é Criador, mas também é Protótipo. Em uma palavra, ele é o Deus da aliança" (Herman Bavinck, *Dogmática Reformada*, São Paulo: Cultura Cristã, 2012, v. 2, p. 573ss.; v. 3, p. 187-190). (Todos esses autores entendem que a morte física foi uma consequência do pecado. Eu os acompanho neste ponto). Quanto a uma posição contrária, Vejam-se: Karl Barth, *Church Dogmatics*, Edinburgh: T & T. Clark, 1960, III/2. p. 596ss e Reinhold Niebuhr, *The Nature and Destiny of Man*, New York: Scribner, 1941, v. 1, p. 175-177. No passado, o bispo Celéstio, discípulo de Pelágio, foi mais longe do que seu mestre, defendendo que Adão foi criado mortal e, portanto, teria morrido, quer tivesse pecado, quer não (Vejam-se: J.N. D. Kelly, *Doutrinas Centrais da Fé Cristã: origem e desenvolvimento*, São Paulo: Vida Nova, 1994, p. 273; Williston Walker, *História da Igreja Cristã*, São Paulo: ASTE, 1967, v. 1, p. 243; K.S. Latourette, *Historia del Cristianismo*. 4. ed. Buenos Aires: Casa Bautista de Publicaciones, 1978, v. 1, p. 96). Há também, aqueles que não se definem, como por exemplo: L.L. Morris, Morte: In: J.D. Douglas, ed. org. *O Novo Dicionário da Bíblia*, v. 2, p. 1073 e Ray Summers, *A Vida no Além*, 2. ed. Rio de Janeiro: JUERP., 1979, p. 25.

36. Textos que ilustram este princípio: Is 48.9; Jr 7.23-25; Lc 13.6-9; Rm 2.4; 9.22; 2Pe 3.9.
37. "*E o SENHOR aspirou o suave cheiro e disse consigo mesmo: Não tornarei a amaldiçoar a terra por causa do homem, porque é* *mau* (רַע) (ra') *o desígnio íntimo do homem desde a sua mocidade; nem tornarei a ferir todo vivente, como fiz*" (Gn 8.21).
38. Vejam-se: João Calvino, *As Institutas*,II.10.17ss. D.M. Lloyd-Jones, *Por Que Prosperam os Ímpios?*, São Paulo: Publicações Evangélicas Selecionadas, 1983, 145p.
39. João Calvino, *Efésios*, (Ef 4.18), p. 137.
40. "Depois da Queda do primeiro homem, nenhum conhecimento de Deus valeu para a salvação sem o Mediador" (João Calvino, *As Institutas*, II.6.1).
41. João Calvino, *O Livro dos Salmos*, v. 1, (Sl 8.6), p. 171."Como a morte espiritual não é outra coisa senão o estado de alienação em que a alma subsiste em relação a Deus, já nascemos todos mortos, bem como vivemos mortos até que nos tornamos participantes da vida de Cristo" (João Calvino, *Efésios*, (Ef 2.1), p. 51).
42. Podemos também chamar de aspecto "estrito", "funcional" ou "material". (Para uma visão panorâmica do uso destes termos, veja-se: Anthony A. Hoekema, *Criados à Imagem de Deus*, São Paulo: Editora Cultura Cristã, 1999, p. 84-88,101). "Ele é a criatura que, inicialmente, foi criada à imagem e semelhança de Deus, e essa origem divina e essa marca divina nenhum erro pode destruir. Contudo, ele perdeu, por causa do pecado, os gloriosos atributos de conhecimento, justiça e santidade que estavam contidos na imagem de Deus. Todavia, esses atributos ainda estão presentes em 'pequenas reservas' remanescentes da sua criação; essas reservas são suficientes não somente para torná-lo culpado, mas também para dar testemunho de sua primeira grandeza e lembrá-lo continuamente de seu chamado divino e de seu destino celestial" (Herman Bavinck, *Teologia Sistemática*, Santa Bárbara d'Oeste, SP.: SOCEP., 2001, p. 17-18). Vejam-se: João Calvino, *O Livro dos Salmos*, São Paulo: Paracletos, 1999, v. 2, (Sl 51.5), p. 431-432; John Calvin, *Commentaries on the Epistle of James*, Grand Rapids, Michigan: Baker Book House Company, 1996, (Calvin's Commentaries, v. 22), (Tg 3.9), p. 323; *As Institutas*, I.15.8; II.2.26,27; Hermisten M.P. Costa, *João Calvino 500 anos: introdução*

ao seu pensamento e obra, São Paulo: Cultura Cristã, 2009, p. 211ss.; W. Gary Crampton; Richard E. Bacon, *Em Direção a uma Cosmovisão Cristã*, Brasília, DF.: Monergismo, 2010, p. 27; Herman Dooyeweerd, *No Crepúsculo do Pensamento*, São Paulo: Hagnos, 2010, p. 260-261; François Turretini, *Compêndio de Teologia Apologética*, São Paulo: Cultura Cristã, 2011, v. 1, p. 591; Emil Brunner, *Dogmática: A Doutrina Cristã da Criação e da Redenção*, São Paulo: Fonte Editorial, 2006, v. 2, p. 88.

43. João Calvino, *O Livro dos Salmos*, v. 2, (Sl 51.5), p. 431-432. Vejam-se: John Calvin, *Commentaries on the Epistle of James*, Grand Rapids, Michigan: Baker Book House Company, 1996, (Calvin's Commentaries, v. 22), (Tg 3.9) p. 323; *As Institutas*, I.15.8; II.2.26,27.

44. Ver: James M. Boice, *O Evangelho da Graça*, São Paulo: Cultura Cristã, 2003, p. 111. Agostinho (354-430), comentando o Salmo 148, faz uma analogia muito interessante: "Como nossos ouvidos captam nossas palavras, os ouvidos de Deus captam nossos pensamentos. Não é possível agir mal quem tem bons pensamentos. Pois as ações procedem do pensamento. Ninguém pode fazer alguma coisa, ou mover os membros para fazer algo, se primeiro não preceder uma ordem de seu pensamento, como do interior do palácio, qualquer coisa que o imperador ordenar, emana para todo o império romano; tudo o que se realiza através das províncias. Quanto movimento se faz somente a uma ordem do imperador, sentado lá dentro? Ao falar, ele move somente os lábios; mas move-se toda a província, ao se executar o que ele fala. Assim também em cada homem, o imperador acha-se no seu íntimo, senta-se em seu coração; se é bem e ordena coisas boas, elas se fazem; se é mau, e ordena o mal, o mal se faz" (Agostinho, *Comentário aos Salmos*, São Paulo: Paulus, (Patrística, 9/3), 1998, v. 3, (Sl 148.1-2), p. 1126-1127).

45. João Calvino, *Exposição de Romanos*, São Paulo: Paracletos, 1997, (Rm 8.7), p. 266-267. "O intelecto do homem está de fato cegado, envolto em infinitos erros e sempre contrário à sabedoria de Deus; a vontade, má e cheia de afeições corruptas, odeia a justiça de Deus; e a força física, incapaz de boas obras, tende furiosamente à iniquidade" (João Calvino, *Instrução na Fé*, Goiânia, GO: Logos Editora, 2003, Cap. 4, p. 15).

46. "Moral e espiritualmente, o caráter do homem estampa a imagem de Satanás, e não a de Deus. Ora, é precisamente isso o que a Bíblia quer dizer quando fala sobre o homem caído no pecado como 'filho do diabo'. (Jo 8.44; Mt 13.38; At

13.10 e 1Jo 3.8)" (J.I. Packer, *Vocábulos de Deus*, São José dos Campos, SP.: Fiel, 1994, p. 67). "Tampouco é absurdo dizer que a imagem em parte se perdeu e em parte se conservou, e que no mesmo sujeito há a imagem de Deus e a do diabo em diferentes aspectos" (François Turretini, *Compêndio de Teologia Apologética*, São Paulo: Cultura Cristã, 2011, v. 1, p. 588).

47. Cf. Herman Bavinck, *Dogmática Reformada*, São Paulo: Cultura Cristã, 2012, v. 3, 190.

48. Podemos também chamar de aspecto "lato", "estrutural" ou "formal". (Para uma visão panorâmica do uso destes termos, veja-se: Anthony A. Hoekema, *Criados à Imagem de Deus*, São Paulo: Editora Cultura Cristã, 1999, p. 84-88,101).

49. "Pelo pecado estamos alienados de Deus" (João Calvino, Efésios, (Ef 1.9), p. 32). "Tão logo Adão alienou-se de Deus em consequência de seu pecado, foi ele imediatamente despojado de todas as coisas boas que recebera" (João Calvino, *Exposição de Hebreus*, São Paulo: Paracletos, 1997, (Hb 2.5), p. 57). Ver: João Calvino, *As Institutas*, II.1.5.

50. João Calvino, *As Institutas*, I.15.4. Vejam-se: Juan Calvino, *Breve Instruccion Cristiana*, Barcelona: Fundación Editorial de Literatura Reformada, 1966, p. 13; João Calvino, *Efésios*, , (Ef 2.3), p. 56; (Ef 4.24), p. 142; O *Livro dos Salmos*, v. 1, (Sl 8.5), p. 169; v. 2, (Sl 62.9), p. 579; *As Institutas*, II.1.5; W. Gary Crampton; Richard E. Bacon, *Em Direção a uma Cosmovisão Cristã*, Brasília, DF.: Monergismo, 2010, p. 27; Herman Bavinck, *Teologia Sistemática*, Santa Bárbara d'Oeste, SP.: SOCEP., 2001, p. 17-18. Para uma aplicação positiva deste ponto, enfatizando a grandeza do homem ainda que caído, vejam-se: Francis A. Schaeffer, *Morte na Cidade*, São Paulo: Cultura Cristã, 2003, p. 60,61; Francis Schaeffer, *A Obra Consumada de Cristo*, São Paulo: Editora Cultura Cristã, 2003, p. 74; Francis A. Schaeffer, *A Morte da Razão*, São Paulo: Cultura Cristã, 2002, p. 34.

51. "*O homem depravado cava o mal* (רַע)(ra'), *e nos seus lábios há como que fogo ardente*" (Pv 16.27).

52. "*Não se atemoriza de más* (רַע)(ra') *notícias; o seu coração é firme, confiante no SENHOR*" (Sl 112.7). "*É ele quem dá aos reis a vitória; quem livra da espada maligna* (רַע)(ra') *a Davi, seu servo*" (Sl 144.10).

53. Veja-se: Hermisten M.P. Costa, *O Pai Nosso*, São Paulo: Casa Editora Presbiteriana, 2001.

54. Conforme expressão de Lloyd-Jones (1899-1981) (D.M. Lloyd-Jones, *Estudos no Sermão do Monte*, São Paulo: FIEL., 1984, p. 358). Veja-se a relação feita por Calvino entre a oração e a convicção de nossa filiação divina (João Calvino, *Exposição de Romanos*, (Rm 8.16), p. 279-280).
55. Devo esta observação a William Fitch (*Deus e o Mal*, São Paulo: Publicações Evangélicas Selecionadas, 1984, p. 116).
56. "Os ladrões e os homicidas, e os demais malfeitores, são instrumentos da divina providência, dos quais o próprio Senhor Se utiliza para executar os juízos que em Si determinou" (João Calvino, *As Institutas*, I.17.5). Comentando a investida de Satanás contra Jó, arremata: "Concluímos que desta provação de que Satanás e os perversos salteadores foram os ministros, Deus foi o autor" (João Calvino, *As Institutas*, I.18.1).
57. Lloyd-Jones, comentando o Livro de Habacuque, afirmou: "Deus controla não somente a Israel, mas também seus próprios inimigos, os caldeus. Toda nação da terra está sob a mão divina, porque não há poder neste mundo que, em última instância, não seja por ele controlado." (D.M. Lloyd-Jones, *Do Temor à Fé*, Miami: Vida, 1985, p. 31).
58. Veja-se: João Calvino, *As Institutas*, I.17.2. "Não há nada mais absurdo do que simular, propositadamente, uma grosseira ignorância da providência de Deus, uma vez que não podemos compreendê-la perfeitamente, a não ser discerni-la só em parte" (João Calvino, *O Livro dos Salmos*, v. 2, (Sl 40.5), p. 223). ".... a maior miséria que um homem pode ter é ignorar a providência de Deus; e, por outro lado, que é uma singular bem-aventurança conhecê-la" (João Calvino, *As Institutas da Religião Cristã: edição especial com notas para estudo e pesquisa*, São Paulo: Cultura Cristã, 2006, v. 3, (III.8), p. 86-87).
59. A.A. Hoekema, *A Bíblia e o Futuro*, São Paulo: Casa Editora Presbiteriana, 1989, p. 41.
60. D. M. Lloyd-Jones, *Por Que Prosperam os Ímpios?*, São Paulo: Publicações Evangélicas Selecionadas, 1983, p. 14-15.
61. Lloyd-Jones capta isso com profundidade: "E não somente pode o pecado paralisar a memória, ele pode também torcer os fatos; pode manipulá-los, e provar qualquer coisa que queira. Pecado é capaz de manipular nosso raciocínio e corromper todas as nossas argumentações. Inflamará nossos desejos; pintará pinturas belíssimas; colocará óculos cor-de-rosa. Também paralisará a vontade a tal ponto que, quando a tentação vier novamente,

esqueceremos de tudo de ruim que sentimos ao pecar, e cometeremos novamente o mesmo erro" (D.M. Lloyd-Jones, *O Caminho de Deus não o nosso,* São Paulo: Publicações Evangélicas Selecionadas, 2003, p. 78).

62. "O fato é que as pressões sociais podem e de fato corroem a ortodoxia cristã, provavelmente mais que qualquer verdadeiro argumento intelectual. De modo irônico e trágico, as tentações do mundo aumentam em proporção direta ao sucesso da pessoa. Quando um cristão começa a ter sucesso – academicamente, financeiramente, politicamente ou profissionalmente – o mundo lhe fica cada vez mais sedutor. (...) Eu acredito de fato que os cristãos podem ser bem-sucedidos, mas eles devem ficar alertas a respeito das tentações que enfrentarão. Eles também precisarão do ministério da Igreja" (Gene Edward Veith, Jr., *De Todo o Teu Entendimento,* São Paulo: Cultura Cristã, 2006, p. 90).

63. João Calvino, *Instrução na Fé,* Goiânia, GO.: Editora Logos, 2003, Cap. 24, p. 68-69.

64. "Os sofrimentos desta vida longe estão de obstruir nossa salvação; antes, ao contrário, são seus assistentes. (...) Embora os eleitos e os réprobos se vejam expostos, sem distinção, aos mesmos males, todavia existe uma enorme diferença entre eles, pois Deus instrui os crentes pela instrumentalidade das aflições e consolida sua salvação. (...) As aflições, portanto, não devem ser um motivo para nos sentirmos entristecidos, amargurados ou sobrecarregados, a menos que também reprovemos a eleição do Senhor, pela qual fomos predestinados para a vida, e vivamos relutantes em levar em nosso ser a imagem do Filho de Deus, por meio da qual somos preparados para a glória celestial" (João Calvino, *Exposição de Romanos,* São Paulo: Paracletos, 1997, (Rm 8.28,29), p. 293,295).

65. Veja-se: Ronald H. Nash, O Problema do Mal: In: Francis J. Beckwith, et. al., eds. *Ensaios Apologéticos,* São Paulo: Hagnos, 2006, p. 261.

5. Desprezando o répobro

1. A primeira redação deste texto foi durante o Mundial de Futebol em junho de 2010.

2. D.M. Lloyd-Jones, *O Combate Cristão,* São Paulo: Publicações Evangélicas Selecionadas, 1991, p. 76. "A maior tirania que temos que enfrentar nesta vida é a perspectiva mundana. Ela se insinua em nosso pensamento em toda parte, e nós a recebemos imediatamente após nascermos" (D.M.

Lloyd-Jones, *Seguros Mesmo no Mundo*, São Paulo: Publicações Evangélicas Selecionadas, 2005 (Certeza Espiritual: v. 2), p. 28).

3. "Pv 26.5,12,16; Pv 30.12.
4. "*O homem rico é sábio aos seus próprios olhos; mas o pobre que é sábio sabe sondá-lo*" (Pv 28.11).
5. Carl Schultz,'Ayin: In: R. Laird Harris, et. al., eds. *Dicionário Internacional de Teologia do Antigo Testamento*, São Paulo: Vida Nova, 1998, p. 1108.
6. "*Também desprezaram* (מָאַס) (ma'as) *a terra aprazível e não deram crédito à sua palavra*" (Sl 106.24). "*A pedra que os construtores rejeitaram* (מָאַס) (ma'as), *essa veio a ser a principal pedra, angular*" (Sl 118.22).
7. "*No seu leito, maquina a perversidade, detém-se em caminho que não é bom, não se despega* (מָאַס) (ma'as) *do mal*" (Sl 36.4).
8. "*Tomam-se de grande pavor, onde não há a quem temer; porque Deus dispersa os ossos daquele que te sitia; tu os envergonhas, porque Deus os rejeita* (מָאַס) (ma'as)" (Sl 53.5).
9. "*Desapareçam* (מָאַס) (ma'as) *como águas que se escoam; ao dispararem flechas, fiquem elas embotadas*" (Sl 58.7).
10. "*No seu leito, maquina a perversidade, detém-se em caminho que não é bom, não se despega* (מָאַס) (ma'as) *do mal*" (Sl 36.4).
11. "*Prata de refugo* (מָאַס) (ma'as) *lhes chamarão, porque o SENHOR os refugou* (מָאַס) (ma'as)" (Jr 6.30).
12. "*No seu leito, maquina a perversidade, detém-se em caminho que não é bom, não se despega* (מָאַס) (ma'as) *do mal*" (Sl 36.4).
13. João Calvino, *O Livro dos Salmos*, v. 1, (Sl 15.4), p. 293.
14. "*No seu leito, maquina a perversidade, detém-se em caminho que não é bom, não se despega* (מָאַס) (ma'as) *do mal*" (Sl 36.4).
15. No texto original a palavra "rejeitou" é repetida aqui.
16. Mt 21.42; Lc 20.17-19.
17. "*No seu leito, maquina a perversidade, detém-se em caminho que não é bom, não se despega* (מָאַס) (ma'as) *do mal*" (Sl 36.4).
18. "O conhecimento de Deus deriva daqueles acontecimentos históricos em que Deus deu provas de si mesmo e revelou-se a indivíduos escolhidos, tais como Abraão e Moisés. Essas revelações devem ser ensinadas a outros" (Jack P. Lewis; Paul R. Gilchrist, yāhab: In: R. Laird Harris, et. al.eds. *Dicionário Internacional de Teologia do Antigo Testamento*, São Paulo: Vida Nova, 1998, p. 598). Esta palavra é a mesma que ocorre em Gn 2.9,17.

19. Veja-se: Bruce K. Waltke, Baza: In: R. Laird Harris, et. al.eds. *Dicionário Internacional de Teologia do Antigo Testamento*, São Paulo: Vida Nova, 1998, p. 164.
20. A ideia da palavra é de *ser ágil, ser flexível*.
21. *2Sm 6.14,16.
22. Veja-se: Michael A. Grisanti, Bzh: In: Willem A. VanGemeren, org.*Novo Dicionário Internacional de Teologia e Exegese do Antigo Testamento*, São Paulo: Cultura Cristã, 2011, v. 1, p. 611.
23. Lutero (1483-1546) enfatizou que, "nem trabalho em pedra, nem boa construção, nem ouro, nem prata tornam uma igreja formosa e santa, mas a Palavra de Deus e a sã pregação. Pois onde é recomendada a bondade de Deus e revelada aos homens, e almas são encorajadas para que possam depender de Deus e chamar pelo Senhor em tempos de perigo, aí está verdadeiramente uma santa igreja" (Jaroslav Pelikan, ed. *Luther's Works*, Saint Louis: Concordia Publishing House, 1960, v. 2, (Gn 13.4), p. 332). "Para mim sempre foi patético assistir a um culto nalguma grande igreja quando o que se busca é o efeito produzido por algum tipo particular de edifício" (D. Martyn Lloyd-Jones, *A Vida de Paz*, São Paulo: Publicações Evangélicas Selecionadas, 2008, p. 31).
24. "Porque Deus é espírito, a adoração deve também ser praticada com integridade em relação à fidelidade para com a revelação própria de Deus, porque ela deve ser 'em verdade'" (Terry L. Johnson, *Adoração Reformada: A adoração que é de acordo com as Escrituras*, São Paulo: Puritanos, 2001, p. 29).
25. Jo 4.23-24; Fp 3.3.
26. Veja-se: Luís Alonso Schökel; Cecília Carniti, *Salmos I: salmos 1-72*, São Paulo: Paulus, 1996, p. 268; Frans Van Deursen, *Los Salmos*, Países Bajos: Fundacion Editorial de Literatura Reformada, 1996, v. 1, p. 180-181.

6. Horando os que temem a Deus

1. Para um estudo mais detalhado, vejam-se, entre outros: William Gesenius, *Hebrew-Chaldee Lexicon to the Old Testament*, 3. ed. Michigan: WM. Eerdmans Publishing Co. 1978, p. 381; C. Dohmen; P. Stenmans, Kabed: In: G. Johannes Botterweck; Helmer Ringgren; Heinz-Josef Fabry, eds.*Theological Dictionary of the Old Testament*, Grand Rapids, MI.: Eerdamans, 1995, v. 7, p. 13ss; C. Westermann, Kbd: In: E. Jenni; C. Westemann,

Diccionario Teologico Manual Del Antiguo Testamento, Madrid: Ediciones Cristiandad, 1978, v. 1, p. 1089-1113; John N. Oswalt, Kabed: In: R. Laird Harris, et. al., eds. *Dicionário Internacional de Teologia do Antigo Testamento*, São Paulo: Vida Nova, 1998, p. 695-698; C. John Collins, Kbd: In: Willem A. VanGemeren, org. *Novo Dicionário Internacional de Teologia e Exegese do Antigo Testamento*, São Paulo: Cultura Cristã, 2011, v. 2, p. 576-586.

2. "[7] *Levantai, ó portas, as vossas cabeças; levantai-vos, ó portais eternos, para que entre o Rei da* Glória (כָּבוֹד) (kabod). [8] *Quem é o Rei da* Glória (כָּבוֹד) (kabod)? *O SENHOR, forte e poderoso, o SENHOR, poderoso nas batalhas.* [9] *Levantai, ó portas, as vossas cabeças; levantai-vos, ó portais eternos, para que entre o Rei da* Glória (כָּבוֹד) (kabod). [10]*Quem é esse Rei da* Glória (כָּבוֹד) (kabod)? *O SENHOR dos Exércitos, ele é o Rei da Glória* (כָּבוֹד) (kabod)" (Sl 24.7-10).
3. "*Os céus anunciam a sua justiça, e todos os povos vêem a sua glória* (כָּבוֹד) (kabod)" (Sl 97.6/Sl 108.5).
4. "...*Tributai ao SENHOR, filhos de Deus, tributai ao SENHOR glória* (כָּבוֹד) (kabod) *e força.* [2] *Tributai ao SENHOR a glória* (כָּבוֹד) (kabod) *devida ao seu nome, adorai o SENHOR na beleza da santidade.* [3] *Ouve-se a voz do SENHOR sobre as águas; troveja o Deus da glória* (כָּבוֹד) (kabod); *o SENHOR está sobre as muitas águas. (...)* [9] *A voz do SENHOR faz dar cria às corças e desnuda os bosques; e no seu templo tudo diz: Glória* (כָּבוֹד) (kabod)!" (Sl 29.1-3,9).
5. "*Anunciai entre as nações a sua glória* (כָּבוֹד) (kabod), *entre todos os povos, as suas maravilhas*" (Sl 96.3). "[9] *O SENHOR é bom para todos, e as suas ternas misericórdias permeiam todas as suas obras.* [10] *Todas as tuas obras te renderão graças, SENHOR; e os teus santos te bendirão.* [11] *Falarão da glória* (כָּבוֹד) (kabod) *do teu reino e confessarão o teu poder,* [12] *para que aos filhos dos homens se façam notórios os teus poderosos feitos e a glória* (כָּבוֹד)(kabod) *da majestade do teu reino*" (Sl 145.9-12).
6. Francis A. Schaeffer, *Morte na Cidade*, São Paulo: Cultura Cristã, 2003, p. 60,61."Por mais que a Bíblia diga que os homens estão perdidos, ela não diz que eles são *nada*" (F.A. Schaeffer, *O Deus que intervém*, São Paulo: Cultura Cristã, 2002, p. 192). Vejam-se também: Francis Schaeffer, *A Obra Consumada de Cristo*, São Paulo: Editora Cultura Cristã, 2003, p. 73-74; Francis A. Schaeffer, *A Morte da Razão*, São Paulo: Cultura Cristã, 2002, p. 34.

7. P.G. Chappell, Temor: In: Walter A. Elwell, ed. *Enciclopédia Histórico-Teológica da Igreja Cristã*, São Paulo: Vida Nova, 1988-1990, v. 3, p. 439;
8. A.W. Pink, *Deus é Soberano*, São Paulo: Editora Fiel, 1977, p. 140.
9. Ela ocorria no final do ano, quando eram reunidos os trabalhadores do campo. Nesses dias todos os judeus deveriam habitar em tendas de ramos: "*Sete dias habitareis em tendas de ramos; todos os naturais em Israel habitarão em tendas; para que saibam as vossas gerações que eu fiz habitar os filhos de Israel em tendas, quando os tirei da terra do Egito....*" (Lv 23.42-43). Esta festa era caracterizada por grande alegria: "*Alegrar-te-ás, na tua festa, tu, e o teu filho, e a tua filha, e o teu servo, e a tua serva, e o levita, e o estrangeiro, e o órfão, e a viúva que estão dentro das tuas cidades*" (Dt 16.14). Assim descreve Edersheim: "A mais alegre de todas as festas do povo israelita era a Festa dos Tabernáculos. Ela caía justamente num tempo do ano, em que todos os corações estavam repletos de gratidão, de contentamento e de esperança. Já as colheitas estavam guardadas nos celeiros; todos os frutos estavam também sendo recolhidos, a vindima estava feita, e a terra aguardava apenas que as 'últimas chuvas' amolecessem e refrescassem o chão, a fim de que nova colheita fosse preparada. (...) Ao lançar os olhos para a terra dadivosa e para os frutos que os havia enriquecido, deveriam os israelitas lembrar-se de que só pela miraculosa intervenção divina tinham eles conquistado esta pátria, cuja propriedade, entretanto, Deus sempre reclamara por direito Seu" (Alfredo Edersheim, *Festas de Israel*, São Paulo: União Cultural Editora, (s.d.), p. 83).
10. Dt 16.17.
11. João Calvino, *O Livro dos Salmos*, São Paulo: Paracletos, 1999, v. 2, (Sl 36.1), p. 122-123.
12. Gene Edward Veith, Jr., *De Todo o Teu Entendimento*, São Paulo: Cultura Cristã, 2006, p. 135.
13. Perry G. Downs, *Introdução à Educação Cristã: Ensino e Crescimento*, São Paulo: Editora Cultura Cristã, 2001, p. 180.
14. A ideia básica de (למד)(lâmad) é a de treinar e educar, acostumar-se a; familiarizar-se com; aprender (Cf. Walter C. Kaiser, Lâmad: In: R. Laird Harris, et. al., eds. *Dicionário Internacional de Teologia do Antigo Testamento*, p. 791; D. Muller, Discípulo: In: Colin Brown, ed. ger. *Novo Dicionário Internacional de Teologia do Novo Testamento*, São Paulo: Vida Nova, 1981-1983, v. 1, p. 662; A.W. Morton, Educação nos Tempos Bí-

blicos: In: Merrill C. Tenney, org. ger. *Enciclopédia da Bíblia*, São Paulo: Cultura Cristã, 2008, v. 2, p. 261).

15. Cf. Mt 28.4.

16. "A única coisa que, segundo a autoridade de Paulo, realmente merece ser denominada de *conhecimento* é aquela que nos instrui na confiança e no temor de Deus, ou seja, na piedade" (João Calvino, *As Pastorais*, São Paulo: Paracletos,1998, (1Tm 6.20), p. 187). "Quem quer que deseje crescer na fé deve também ser diligente em progredir no temor do Senhor" (João Calvino, *O Livro dos Salmos*, São Paulo: Paracletos, 1999, v. 1, (Sl 25.14), p. 557).

17. W. Mundle, Medo: In: Colin Brown, ed. ger. *Novo Dicionário Internacional de Teologia do Novo Testamento*, São Paulo: Vida Nova, 1981-1983, v. 3, p. 147.

18. "Não existe incompatibilidade entre amor e obediência; pois na vida verdadeiramente santificada existe a obediência em amor e o amor obediente" (Ernest Kevan, *A Lei Moral*, São Paulo: Editora Os Puritanos, 2000, p. 9).

19. "Se um genuíno conhecimento de Deus habita os nossos corações, seguir-se-á inevitavelmente que seremos conduzidos a reverenciá-lo e a temê-lo. *Não é possível ter genuíno conhecimento de Deus exceto pelo prisma de sua majestade.* É desse fator que nasce o desejo de servi-lo, e daqui sucede que toda a vida é direcionada para ele como seu supremo alvo" (João Calvino, *Exposição de Hebreus*, São Paulo: Paracletos, 1997, (Hb 11.6), p. 306).

20. פַּחַד (pahad) pode ser considerado um sinônimo poético de (יָרֵא) (yare') (Cf. Andrew Bowling, Pahad: In: R. Laird Harris, et. al., eds. *Dicionário Internacional de Teologia do Antigo Testamento*, São Paulo: Vida Nova, 1998, p. 1209).

21. Figuradamente tem o sentido de mostrar, indicar, "apontar o dedo". *Encaminhar* (Gn 46.28); *disparar* (Sl 11.2; 64.4); *apontar* (Sl 25.8); *atingir* (Sl 64.4); *desferir* (Sl 64.7). No hifil, conforme o texto citado, tem o sentido de "ensinar".

22. "[19] *Tendo navegado uns vinte e cinco a trinta estádios, eis que viram Jesus andando por sobre o mar, aproximando-se do barco; e ficaram possuídos de temor* (φοβέω). [20] *Mas Jesus lhes disse: Sou eu. Não temais* (φοβέω)! [21] *Então, eles, de bom grado, o receberam, e logo o barco chegou ao seu destino*" (Jo 6.19-21). "[5] *Mas o anjo, dirigindo-se às mulheres, disse: Não temais*

(φοβέω); *porque sei que buscais Jesus, que foi crucificado.* [6] *Ele não está aqui; ressuscitou, como tinha dito. Vinde ver onde ele jazia.* [7] *Ide, pois, depressa e dizei aos seus discípulos que ele ressuscitou dos mortos e vai adiante de vós para a Galiléia; ali o vereis. É como vos digo!* [8] *E, retirando-se elas apressadamente do sepulcro, tomadas de* medo (φοβός) *e grande alegria, correram a anunciá-lo aos discípulos.* [9] *E eis que Jesus veio ao encontro delas e disse: Salve! E elas, aproximando-se, abraçaram-lhe os pés e o adoraram.* [10] *Então, Jesus lhes disse: Não* temais (φοβέω)! *Ide avisar a meus irmãos que se dirijam à Galiléia e lá me verão*" (Mt 28.5-10). "Ao temermos a Deus, os outros temores desvanecem" (William Edgar, *Razões do Coração: reconquistando a persuasão cristã*, Brasília, DF.: Refúgio, 2000, p. 38).

23. Jó 14.4; 17.9; 28.19; Sl 12.6; Ml 1.11.
24. Randy Alcorn, Decisões Diárias cumulativas, coragem em uma causa e uma vida de perseverança: In: John Piper; Justin Taylor, eds. *Firmes: um chamado à perseverança dos santos*, São José dos Campos, SP.:Editora Fiel, 2010, p. 107.
25. R.D. Patterson, Swd: In: R. Laird Harris, et. al., eds. *Dicionário Internacional de Teologia do Antigo Testamento*, São Paulo: Vida Nova, 1998, p. 1031.

7. Guardando-se da ganância

1. Gn 49.17; Nm 21.6,8,9; Pv 23.32; Ec 10.8,11; Jr 8.17; Am 5.19; 9.13
2. *Assim diz o SENHOR acerca dos profetas que fazem errar o meu povo e que clamam: Paz, quando têm o que* mastigar (נֶשֶׁךְ)(neshek), *mas apregoam guerra santa contra aqueles que nada lhes metem na boca*" (Mq 3.5).
3. "A usura é a arrecadação de juros por um emprestador nas operações que não devem dar lugar ao juro" (Jacques Le Goff, *A Bolsa e a Vida: A Usura na Idade Média*, 2. ed. São Paulo: Brasiliense, 1989, p. 18).
4. Cf. Walter P. Gorman III. Crédito: In: Carl Henry, org. *Dicionário de Ética Cristã*, São Paulo: Cultura Cristã, 2007, p. 146. Da mesma forma: J. Barton Payne, Usura: In: *Ibidem*, p. 591. "A razão para a proibição é que, presumivelmente, o pobre pedira dinheiro emprestado na hora da necessidade. O empréstimo é considerado assistência ao próximo, e tomar-lhe dinheiro na hora da necessidade seria um ato imoral" (R. Alan Cole, *Êxodo: introdução e comentário*, São Paulo: Vida Nova/Mundo Cristão, [1979], (Ex 22.25), p. 169).

5. Robin Wakely, ns': In: Willem A. VanGemeren, org., *Novo Dicionário Internacional de Teologia e Exegese do Antigo Testamento*, São Paulo: Cultura Cristã, 2011, v. 3, p. 178.
6. No século XII, teólogos cristãos concluíram que a palavra "irmão" aplicava-se a todos os homens. Deste modo, consideraram que o empréstimo de dinheiro com juros é sempre um ato pecaminoso. (Cf. Jerry Z. Muller, *Os Judeus e o Capitalismo Mundial: o que explica o sucesso judaico nas sociedades capitalistas?*, São Paulo: Editora Saraiva, 2011, p. 34). Quanto às diversas definições medievais sobre usura e os pronunicamentos eclesiásticos do mesmo período, veja-se uma ótima sinopse feita por Le Goff. (Jacques Le Goff, *A Bolsa e a Vida: A Usura na Idade Média*, 2. ed. São Paulo: Brasiliense, 1989, p. 17ss.).
7. Cf. G.L. Archer, Juros: In: M.C. Tenney, org. ger. *Enciclopédia da Bíblia*, São Paulo: Cultura Cristã, 2008, v. 3, p. 806; John W. Baigent, Salmos (1-72). In: F.F. Bruce, ed. ger. *Comentário Bíblico NVI: Antigo e Novo Testamento*, São Paulo: Vida Nova, 2009, (Sl 15), p. 777; R. de Vaux, *Instituições de Israel no Antigo Testamento*, São Paulo: Editora Teológica/Paulus, 1993, p. 207. Na Idade Média, os judeus praticavam taxas de juros anuais que podiam variar entre 33 a 60 por cento ao ano (Cf. Jerry Z. Muller, *Os Judeus e o Capitalismo Mundial: o que explica o sucesso judaico nas sociedades capitalistas?*, São Paulo: Editora Saraiva, 2011, p. 38).
8. Cf. E.A. Speiser, *Oriental and Biblical Studies: Collected Writings of E. A. Speiser*, edited by J.J. Finkelstein and Moshe Greenberg, Philadelphia: University of Pennsylvania Press, 1967, p. 131-135; 140-141; R. Laird Harris, Nashak: In: R. Laird Harris, et. al., eds. *Dicionário Internacional de Teologia do Antigo Testamento*, São Paulo: Vida Nova, 1998, p. 1011.
9. Ne 5.11.
10. Vejam-se: Derek Kidner, *Esdras e Neemias: introdução e comentário*, São Paulo: Vida Nova/Mundo Cristão, 1985, (Ne 5.11), p. 106; R. de Vaux, *Instituições de Israel no Antigo Testamento*, São Paulo: Editora Teológica/Paulus, 1993, p. 207.
11. A palavra sugere juros exorbitantes (Veja-se: William White, Raba: In: R. Laird Harris, et. al., eds. *Dicionário Internacional de Teologia do Antigo Testamento*, São Paulo: Vida Nova, 1998, especialmente, p. 1394).
12. Esta palavra seria usada no século XIX por Karl Marx para identificar os judeus como prontos para regatearem, barganharem, fazerem qualquer

negócio (Veja-se: Jerry Z. Muller, *Os Judeus e o Capitalismo Mundial: o que explica o sucesso judaico nas sociedades capitalistas?*, São Paulo: Editora Saraiva, 2011, p. 51-52). É muito instrutiva a obra de John T. Noonan, Jr, *Subornos*, Rio de Janeiro: Editora Bertrand Brasil, 1989. Para os nossos propósitos, destaco a leitura do tópico, ainda que não exclusivamente, "A Moral dos Cristãos", p. 73-109.

13. Veja-se: Milton C. Fisher, Nasha: In: R. Laird Harris, et. al., eds. *Dicionário Internacional de Teologia do Antigo Testamento*, São Paulo: Vida Nova, 1998, p. 1007-1010. Sobre emprego e var
14. E.A. Speiser, *Oriental and Biblical Studies: Collected Writings of E. A. Speiser*, edited by J.J. Finkelstein and Moshe Greenberg, Philadelphia: University of Pennsylvania Press, 1967, p. 140.
15. Milton C. Fisher, Nasha: In: R. Laird Harris, et. al., eds. *Dicionário Internacional de Teologia do Antigo Testamento*, São Paulo: Vida Nova, 1998, p. 1008.
16. Para um estudo mais detalhado do pensamento de Calvino a respeito do assunto, veja-se: Hermisten M.P. Costa, *João Calvino 500 anos*, São Paulo: Cultura Cristã, 2009, p. 347-365.
17. John Calvin, *Commentaries on the Second Epistle to the Thessalonians*, Grand Rapids, Michigan: Baker Book House, (*Calvin's Commentaries*, v. 21), 1996 (reprinted), (2Ts 3.10), p. 355.
18. John Calvin, *Commentaries on The First Book of Moses Called Genesis*, Grand Rapids, Michigan: Eerdmans Publishing Co., 1996 (Reprinted), v. 1, (Gn 2.15), p. 125.
19. "A aspereza desta pena é ainda atenuada pela clemência de Deus, de sorte que por entre os labores dos homens há certa alegria misturada, para que não sejam de todo ingratos...." (John Calvin, *Commentaries on The First Book of Moses Called Genesis*, Grand Rapids, Michigan: Eerdmans Publishing Co., 1996 (Reprinted), v. 1, (Gn 3.17), p. 174).
20. John Calvin, *Commentaries on the Second Epistle to the Thessalonians*, Grand Rapids, Michigan: Baker Book House, (*Calvin's Commentaries*, v. 21), 1996 (reprinted), (2Ts 3.10), p. 355.
21. Cf. John Calvin, *Commentaries on The Four Last Books of Moses*, Grand Rapids, Michigan: Eerdmans Publishing Co., 1996 (Reprinted), v. 3, (Ex 20.15), p. 110-111.

22. João Calvino, *As Pastorais*, São Paulo: Paracletos, 1998 (1Tm 5.18), p. 149.
23. François Turretini, *Compêndio de Teologia*, São Paulo: Cultura Cristã, 2011, v. 2, p. 161-162.
24. João Calvino, *As Pastorais*, São Paulo: Paracletos, 1998 (1Tm 5.18), p. 149.
25. "O lucro que obtém alguém que empresta seu dinheiro no interesse lícito, sem fazer injúria a quem quer que seja, não está incluído sob o epíteto de usura ilícita. (...) Em suma, uma vez que tenhamos gravada em nossos corações a regra de equidade que Cristo prescreve em Mateus: 'Portanto, tudo quanto quereis que os homens vos façam, fazei-lhes também o mesmo' (7.12), não será necessário entrar em longa controvérsia em torno da usura" (João Calvino, *O Livro dos Salmos*, São Paulo: Edições Paracletos, 1999, v. 1, (Sl 15.5), p. 299). Calvino fazia uma distinção importante entre o "empréstimo de consumo ou de assistência" e o "empréstimo de produção ou de aplicação". Aquele visava socorrer aos necessitados, sendo improdutivo para o devedor. Este, o devedor, com o seu trabalho poderia adquirir uma ampliação desses recursos. Os juros neste caso seriam legítimos (Vejam-se, por exemplo: John Calvin, *Calvin's Commentaries*, Grand Rapids, Michigan: Baker Book House Company, 1996 (Reprinted), v. 12, (Ez 18.5-9), p. 225-228; v. III/1 (Ex 22.25), p. 126-133). Inspirado em Calvino, argumenta Turretini: "É justo que aquele que recebe benefício do dinheiro de outro o faça também participante dele, de cujo auxílio ele ganha este benefício, como uma compensação devida" (François Turretini, *Compêndio de Teologia*, São Paulo: Cultura Cristã, 2011, v. 2, p. 165). Do mesmo modo, escreveu de forma comparativa Marvin Olasky: "Ele entendia que os empréstimos que desenvolvessem um negócio são diferentes dos empréstimos feitos a um homem faminto – e que lucrar no primeiro caso é algo legítimo" (Marvin Olasky, O Roteiro Secular no Teatro de Deus: Calvino sobre o significado cristão da vida pública, In: John Piper; David Mathis, eds. *Com Calvino no Teatro de Deus*, São Paulo: Cultura Cristã, 2011, p. 87). (Ver: André Biéler, *O Pensamento Econômico e Social de Calvino*, p. 588; Ronald S. Wallace, *Calvino, Genebra e a Reforma*, São Paulo: Editora Cultura Cristã, 2003, p. 79-80). Alguns princípios de Calvino a respeito deste tema foram expostos em uma carta (07/11/1545), escrita em resposta às indagações de seu amigo Claude de Sachin. Biéler analisa esta carta e outras passagens nas quais Calvino se posiciona sobre o assunto (Ver: André Biéler, *O Pensamento Econômico*

e Social de Calvino, p. 585ss). Em 1580, Beza, juntamente com outros pastores, opõem-se veementemente à criação de um Banco em Genebra, entendendo que as riquezas trazem consigo implicações indesejáveis, tais como o luxo, frivolidades, amor ao prazer, etc., todas incompatíveis com Genebra, que deseja preservar a já conhecida moderação dos costumes (Ver: André Biéler, *O Pensamento Econômico e Social de Calvino*, p. 239-240; 663 (nota 1636); André Biéler, *O Humanismo Social de Calvino*, p. 66-67; André Biéler, *A Força Oculta dos Protestantes*, São Paulo: Editora Cultura Cristã, 1999, especialmente, p. 132-134; R.H. Tawney, *A Religião e o Surgimento do Capitalismo*, São Paulo: Editora Perspectiva, 1971, p. 124). Quanto às lutas de Genebra lideradas por Beza quanto à prática de juros extorsivos, trapaça nos negócios (tecelão que vende o tecido com uma polegada mais estreita) e preços exorbitantes (alfaiates e dentistas que cobram preços muito elevados pelos seus serviços), vejam-se: Eugène Choisy, *L' État Chrétien Calviniste a Genève au Temps de Théodore de Bèze*, Genève: Ch. Eggimann & Cie Éditeurs, [1902?], especialmente, p. 436ss. Ainda que Choisy tenha muitas informações importantes, sendo elogiado por Tawney que confessa sua dívida para com ele (R.H. Tawney, *A Religião e o Surgimento do Capitalismo*, São Paulo: Editora Perspectiva, 1971, p. 122), Biéler, com razão, faz críticas recorrentes a algumas de suas interpretações (Ver: André Biéler, *O Pensamento Econômico e Social de Calvino*, São Paulo: Casa Editora Presbiteriana, 1990, como por exemplo, na página 185).

26. A Igreja Católica sempre condenou o lucro, ainda que a sua prática não se harmonizasse com a sua teoria, sendo ela mesma, extremamente rica. "O empréstimo a juros (...) sempre foi proibido ao clero; a Igreja conseguiu, a partir do século IX, que se tornasse proibida também aos leigos, e reservou o castigo desse delito à jurisdição de seus tribunais" (H. Pirenne, *História Econômica e Social da Idade Média*, p. 19).
Pirenne (1862-1935) continua:
"É evidente que a teoria dista muito da prática: os próprios mosteiros, amiúde, infringiram os preceitos da Igreja. Não obstante, esta impregnou tão profundamente o mundo com seu espírito, que serão necessários vários séculos para que se admitam as novas práticas que o renascimento econômico do futuro exigirá, e para que se aceitem, sem reservas mentais, a legitimidade dos lucros comerciais, da valorização do capital e dos em-

préstimos com juros" (H. Pirenne, *História Econômica e Social da Idade Média*, p. 19-20). (Veja-se uma anedota bastante ilustrativa do conflito da Igreja, In: Pirenne, *História Econômica e Social da Idade Média*, p. 32-33). Aldo Janotti, comentando a respeito da superioridade intelectual e riqueza da Igreja romana na Idade Média, observa que:

"A preponderância econômica se manifestava tanto através da riqueza agrária quanto da monetária: possuía a Igreja inúmeros domínios, superiores em extensão aos da aristocracia laica, como também em organização, pois só ela tinha homens habilitados para estabelecer polípticos, ter registros de contas, calcular entradas e saídas e, por consequência, poder equilibrá-las" (Aldo Janotti, *Origens da Universidade: A Singularidade do Caso Português*, 2. ed. São Paulo: Editora da Universidade de São Paulo, 1992, p. 31).

Curiosamente, os maiores defensores dos mercadores – associados no imaginário eclesiástico à usura (Vejam-se: Jacques Le Goff, *A Bolsa e a Vida: A Usura na Idade Média*, 2. ed. São Paulo: Brasiliense, 1989, p. 17ss.; Jacques Le Goff, *Mercadores e Banqueiros da Idade Média*, São Paulo: Martins Fontes, 1991, p. 73ss.) –, foram as Ordens Mendicantes (franciscanos e dominicanos), constituindo-se no século XIII, "nos instrumentos de justificação ideológica e religiosa do mercador" (Jacques Le Goff, *Mercadores e Banqueiros da Idade Média*, p. 98). Notemos que os membros dessas Ordens – tão defensoras dos interesses papais –, em geral eram provenientes de famílias abastadas, muitos, de famílias de mercadores. (Cf. Jacques Le Goff, *Mercadores e Banqueiros da Idade Média*, p. 98).

Para a questão da prática dos juros na Idade Média, especialmente estimulada entre os judeus, vejam-se: Jerry Z. Muller, *Os Judeus e o Capitalismo Mundial: o que explica o sucesso judaico nas sociedades capitalistas?* São Paulo: Editora Saraiva, 2011; Jacques Attali, *Os Judeus, o Dinheiro e o Mundo*. 5. ed. São Paulo: Futura, 2005; Jacques Le Goff, *A Bolsa e a Vida: A Usura na Idade Média*, 2. ed. São Paulo: Brasiliense, 1989; Léon Poliakon, *De Cristo aos Judeus da Corte*, São Paulo: Editora Perspectiva, 1979, especialmente, p. 61ss. Para uma história mais panorâmica incluindo as relações da Igreja com os usurários e as suas incoerências, bem como a situação e valores dos mercadores envolvendo a sua religião e seus fantasmas - como escreve Le Goff: "Eis o grande combate do usurário entre a riqueza e o Paraíso, o dinheiro e o Inferno" (Jacques Le Goff, *A Bolsa e a Vida: A Usura na Idade Média*, 2. ed. São Paulo: Brasiliense, 1989, p. 15), vejam-se: André Biéler, *O Pensamento Econômico e Social de Calvino*, p. 237ss.; Jack Mclver Weatherford, *A História do Dinheiro: do arenito ao cyberspace*, São Paulo: Negócio Editora, 2000; Jacques Le Goff, *A Bolsa e a Vida: A Usura na Idade Média*, 2. ed. São Paulo: Brasiliense, 1989; Jacques Le Goff, *Mercadores e Banqueiros da Idade Média*, São Paulo: Martins Fontes, 1991; Jacques Le Goff, *Para um Novo Conceito de Idade Média*, Lisboa: Editorial Estampa, 1980, p. 43-73; Philippe Wolff, *Outono da Idade Média ou Primavera dos Tempos Modernos?*, Lisboa: Edições 70 (1988); Aron J. Gurevic, O Mercador: In: Jacques Le Goff, dir. *O Homem Medieval*, Lisboa: Editorial Presença, 1989, p. 165-189; H. Pirenne, *História Econômica e Social da Idade Média*, 6. ed. São Paulo: Mestre Jou, 1982; Georges Duby, *Economia Rural e Vida no Campo no Ocidente Medieval*, Lisboa: Edições 70, (1987-1988), 2 Vols.; Pierre Monnet, Mercadores: In: Jacques Le Goff; Jean-Claude Schmitt, coords. *Dicionário Temático do Ocidente Medieval*, Bauru, SP.; São Paulo: Editora da Universidade Sagrado Coração/Imprensa Oficial do Estado, 2002, v. 2, p. 183-196; R.H. Tawney, *A Religião e o Surgimento do Capitalismo*, São Paulo: Editora Perspectiva, 1971, p. 31-77. Quanto à acusação apaixonada de Pascal contra a igreja católica, especialmente na França, de praticar a usura valendo-se de subterfúgios, veja-se: Blaise Pascal, *Las Cartas Provinciales*, Buenos Aires: Librería "El Ateneo" Editorial, (1948), especialmente a Carta 8, p. 589ss. Para uma visão da concepção e prática em Portugal, ver: José Calvet de Magalhães, *História do Pensamento Econômico em Portugal: da Idade-Média ao Mercantilismo*. Coimbra: Coimbra Editora, 1967, 537p.

27. John T. Noonan, Jr, *Subornos*, Rio de Janeiro: Editora Bertrand Brasil, 1989, Introdução, p. XI.
28. Cf. Victor P. Hamilton, Shohad: In: R. Laird Harris, et. al., eds. *Dicionário Internacional de Teologia do Antigo Testamento*, São Paulo: Vida Nova, 1998, p. 1542-1543; Michael A. Grisanti; Clinton McCann, Shd: In: Willem A. VanGemeren, gen. editor. *New International Dictionary of Old Testament Theology & Exegesis*, Grand Rapids, Michigan: Zondervan, 1997, v. 4, p. 75.
29. L.A. Feuerbach, *A Essência do Cristianismo*, Campinas, SP.: Papirus, 1988, p. 56.

30. Xenófanes, *Fragmentos*, 11-16. In: Gerd A. Bornheim, org. *Os Filósofos Pré-Socráticos*, 3. ed. São Paulo: Cultrix, 1977, p. 32. Mais tarde, um escritor cristão do segundo século, fazendo uma apologia do Cristianismo – que estava sendo severamente perseguido durante o reinado de Adriano (117-138 AD), a quem destina o seu escrito –, critica o politeísmo grego: "Os gregos, que dizem ser sábios, mostraram-se mais ignorantes do que os caldeus, introduzindo uma multidão de deuses que nasceram, uns varões, outros fêmeas, escravos de todas as paixões e realizadores de toda espécie de iniqüidades. Eles mesmos contaram que seus deuses foram adúlteros e assassinos, coléricos, invejosos e rancorosos, parricidas e fratricidas, ladrões e roubadores, coxos e corcundas, feiticeiros e loucos. (...) Daí vemos, ó rei, como são ridículas, insensatas e ímpias as palavras que os gregos introduziram, dando nome de deuses a esses seres que não são tais. Fizeram isso, seguindo seus maus desejos, a fim de que, tendo deuses por advogados de sua maldade, pudessem entregar-se ao adultério, ao roubo, ao assassínio e a todo tipo de vícios. Com efeito, se os deuses fizeram tudo isso, como não o fariam também os homens que lhes prestam culto? (...) Os homens imitaram tudo isso e se tornaram adúlteros e pervertidos e, imitando seu deus, cometeram todo tipo de vícios. Ora, como se pode conceber que deus seja adúltero, pervertido e parricida?" (Aristides de Atenas, *Apologia*, I.8-9. In: *Padres Apologistas*, São Paulo: Paulus, 1995, p. 43-45). Para maiores detalhes, veja-se: Hermisten M.P. Costa, *Princípios Bíblicos de Adoração Cristã*, São Paulo: Cultura Cristã, 2009, p. 19-27.
31. "A regra de nossa santidade é a lei de Deus" (J.I. Packer, *O Plano de Deus para Você*, 2. ed. Rio de Janeiro: Casa Publicadora das Assembléias de Deus, 2005, p. 155).
32. Considerando o contexto, a tradução da palavra por "suborno" é adequada.
33. João Calvino, *As Pastorais*, São Paulo: Paracletos, 1998, (1Tm 5.21), p. 153.
34. Esta palavra pode ser empregada como sinônimo de (שַׁחַד) (shahad). Mais tarde, no oitavo século a.C., por intermédio de Amós, Deus acusa o povo de praticar diversos pecados: "*Porque sei serem muitas as vossas transgressões e graves os vossos pecados; afligis o justo, tomais suborno* (כֹּפֶר) (kopher) *e rejeitais os necessitados na porta*" (Am 5.12). (Para um estudo da palavra, vejam-se: B. Lang, Kipper: In: G. Johannes Botterweck; Helmer Ringgren, eds. *Theological Dictionary of the Old Testament*, Grand Rapids, MI.:

Eerdamans, 1995, v. 7, p. 301-303; J. Clinton McCann, Koper: Willem A. VanGemeren, gen. editor. *New International Dictionary of Old Testament Theology & Exegesis*, Grand Rapids, Michigan: Zondervan, 1997, V. 2, p. 711-712).

35. Esta forma só ocorre aqui.
36. Is 33.15-16.
37. 2Co 6.1; Ef 2.8-10; Fp 2.5-8.
38. João Calvino, *Exposição de Hebreus*, São Paulo: Paracletos, 1997, (Hb 5.9), p. 138.

PARTE 3. INTEGRIDADE NO FALAR

1. David J. Hesselgrave, *A Comunicação Transcultural do Evangelho*, São Paulo: Vida Nova, 1994, v. 1, p. 23.
2. "Uma língua é inconcebível sem uma comunidade linguística que a suporte, assim como essa comunidade só existe em virtude de uma língua determinada, que lhe dá ao mesmo tempo sua forma e seu contorno. Desde que uma língua existe, existe também uma comunidade linguística. Há, em suma, entre as duas, uma dependência recíproca" (Walther Von Wartburg; Stephen Ullmann, *Problemas e Métodos da Linguística*, São Paulo: Difel, 1975, p. 205). À frente: "Tudo o que podemos dizer é que o nascimento da língua ou de uma determinada língua, ou o nascimento da comunidade que a suporta, o desenvolvimento do espírito, e a origem do gênero humano, representam fenômenos geneticamente conexos" (*Ibidem.*, p. 206-207).
3. Veja-se: José Marques de Melo, *Comunicação Pessoal: Teoria e Pesquisa*, 6. ed. Petrópolis, RJ.: Vozes, 1978, p. 14.
4. Cf. Battista Mondin, *O Homem, quem é ele?*, São Paulo: Paulinas, 1980, p. 144.

8. Falando a verdade de coração

1. Literalmente: "não tinha mais rüah". Ou seja: ficou com a "respiração suspensa" (Vejam-se: J. Barton Payne, Riah: In: R. Laird Harris, et. al., eds. *Dicionário Internacional de Teologia do Antigo Testamento*, São Paulo: Vida Nova, 1998, p. 1407; Sinclair B. Ferguson, *O Espírito Santo*, São Paulo: Editora Os Puritanos, 2000, p. 17).

2. "Não há verdade no sentido bíblico do termo, isto é, verdade válida, fora de Deus. Toda verdade procede de Deus e é verdade porque está relacionada com Deus" (Jack B. Scott, Aman: In: R. Laird Harris, et. al., eds. *Dicionário Internacional de Teologia do Antigo Testamento*, São Paulo: Vida Nova, 1998, p. 87).
3. ermisten M.P. Costa, *A Tua Palavra é a Verdade*, Brasília, DF.: Monergismo, 2010.
4. Veja-se: Wayne A. Grudem, *Teologia Sistemática*, São Paulo: Vida Nova, 1999, p. 53-54.
5. Oséias, cujo nome significa "salvação", "livramento" הושע (Hoshea) (LXX: 'Ωσηὲ) foi um profeta do Reino Norte (Os 5.1; 7.1). Profetizou durante algumas décadas (c. 60-70 anos), vivendo nos últimos anos do reino norte, iniciando o seu ministério provavelmente no final do reinado de Jeroboão II (782-753 a.C.). A sua profecia foi dirigida primariamente ao Reino Norte. Porém, há menção – ainda que incidental –, ao Reino Sul, de Judá. "Oséias, embora falando de Israel, está cônscio de que Yahwéh fez o pacto com o povo unificado. Não havia dois pactos nem dois povos do pacto. Portanto, quando ele fala a Israel, põe diante dos israelitas seu pecado de separar-se de Judá e trazer divisão à família do pacto. Ele faz repetidas vezes referência a Judá, porque Judá é também culpado dos mesmos pecados. Além disso, a restauração do pacto deve ser iniciada por Yahwéh, cujo agente representativo estava no trono de Judá" (Gerard Van Groningen, *Revelação Messiânica no Velho Testamento*, Campinas, SP.: Luz para o Caminho, 1995, p. 439).
6. Veja-se: Dt 27.14-26; Ne 5.13; 8.6
7. João Calvino, *O Livro dos Salmos*, v. 1, (Sl 12.2), p. 250.

9. Usando a língua com sabedoria

1. A palavra está associada à infantaria. Aqueles que caminham a pé (Jz 20.2; 1Sm 4.10; 15.4; 2Sm 8.4).
2. "*Depois, mandou Moisés espiar* (רָגַל) (ragal) *a Jazer, tomaram as suas aldeias e desapossaram os amorreus que se achavam ali*" (Nm 21.32). (Do mesmo modo: Js 6.23,25; 14.7)
3. Para um esboço instrutivo sobre o emprego desta palavra no Antigo Testamento, vejam-se: Walter C. Kaiser, Lashan: In: R. Laird Harris, et. al., eds. *Dicionário Internacional de Teologia do Antigo Testamento*, São Paulo: Vida

Nova, 1998, p. 797-798; Eugene H. Merrill, Lason: In: Willem A. VanGemeren, gen. editor. *New International Dictionary of Old Testament Theology & Exegesis*, Grand Rapids, Michigan: Zondervan, 1997, v. 2, p. 820-822.

4. Vejam-se William White, Ragal: In: R. Laird Harris, et. al., eds. *Dicionário Internacional de Teologia do Antigo Testamento*, São Paulo: Vida Nova, 1998, p. 1398-1399; Eugene H. Merrill, Rgl: In: Willem A. VanGemeren, gen. editor. *New International Dictionary of Old Testament Theology & Exegesis*, Grand Rapids, Michigan: Zondervan, 1997, v. 3, p. 1046-1047; F.J. Stendebach, Regel: In: G. Johannes Botterweck; Helmer Ringgren; Heinz-Josef Fabry, eds. *Theological Dictionary of the Old Testament*, Grand Rapids, MI.: Eerdamans, 2004, v. 13, especialmente, p. 317ss.
5. Veja-se: Hans W. Wolff, *Antropologia do Antigo Testamento*, 2. ed. São Paulo: Loyola, 1983, p. 110-111.
6. Vejam-se: Pv 15.2,4; 25.15; 31.26.
7. Veja-se: 2Sm 16.1-4.
8. 1Cr 12.41; Sl 115.3.
9. Gn 19.20; 1Rs 21.2.
10. Sl 148.14/Is 48.16.
11. Lv 21.2; 2Sm 19.42; Ne 13.4 ; Jó 19.14 ; Sl 38.11.
12. "*Tira de sobre mim o opróbrio* (חֶרְפָּה) (herpah) *e o desprezo, pois tenho guardado os teus testemunhos*" (Sl 119.22). (Sl 119.39).
13. A ideia de Aliança entre Deus e os homens é uma característica específica da revelação bíblica (Veja-se: O. Palmer Robertson, *Cristo dos Pactos*, Campinas, SP: Luz para o Caminho, 1997, p. 7-8).

Conclusão

1. Sl 13.4; 21.7; 82.5; 93.1; 104.5, 121.3, etc.
2. Pv 24.11.
3. A palavra tem o sentido de *abalar* (Sl 10.6; 15.5; 16.8; 30.7; 46.3; 46.5, etc.); *vacilar* (Sl 13.4; 21.7; 82.5; 93.1; 104.5, 121.3, etc.); *remover* (Pv 12.3; Is 54.10 [duas vezes]); *cambalear* (Pv 24.11); *oscilar* (Is 40.20; 41.7).
4. Cf. Allan Harman, *Comentário do Antigo Testamento - Salmos*, São Paulo: Cultura Cristã, 2011, (Sl 15), p. 108.
5. Cf. John Stott, *Salmos Favoritos*, São Paulo: Abba Press, 1997, p. 16-17.
6. Juan Valdés, *Comentário a los Salmos*, Barcelona: CLIE, (1987), (Sl 15.4-5), p. 80.

O Ministério Fiel visa apoiar a igreja de Deus, fornecendo conteúdo fiel às Escrituras através de conferências, cursos teológicos, literatura, ministério Adote um Pastor e conteúdo online gratuito.

Disponibilizamos em nosso site centenas de recursos, como vídeos de pregações e conferências, artigos, e-books, audiolivros, blog e muito mais. Lá também é possível assinar nosso informativo e se tornar parte da comunidade Fiel, recebendo acesso a esses e outros mate- riais, além de promoções exclusivas.

Visite nosso site

www.ministeriofiel.com.br